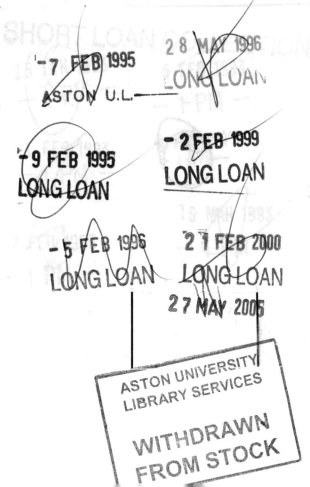

COLLECTION ECOMEDIA

dirigée par Dominique Porté

Titres déjà parus

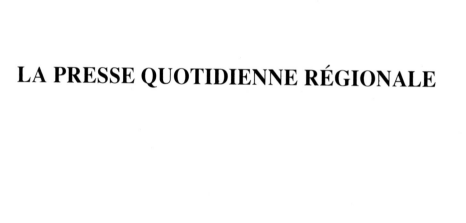

LA PRESSE QUOTIDIENNE RÉGIONALE

Louis-Guy GAYAN

LA PRESSE QUOTIDIENNE RÉGIONALE

MILAN-MIDIA

Introduction

La presse quotidienne régionale (PQR) est née deux fois : la première sous Richelieu ; la seconde sous de Gaulle. Si bien que dès le départ, il y avait du père Joseph dans cette histoire-là.

Première naissance : les Affiches

François-Joseph du Tremblay avait obtenu de Marie de Médicis une charge de médecin du roi pour son protégé Renaudot - prénom Théophraste -, qui éprouva très tôt la nécessité de rédiger une feuille de conseils médicaux préventifs ou curatifs. Puis il élargit son champ opératoire au fur et à mesure qu'il eut le sentiment que la vie quotidienne était faite de mille petits échanges de savoir, comme de marchandises. *La Gazette* était née (1631) et avec elle l'habitude d'organiser des salles d'attente et d'examen pour l'actualité, avec ses urgences, ses petites fièvres et ses docteurs Knock.

L'origine de cette première naissance de la presse marque bien sa vocation. Elle est venue pour rendre service. Les fous ou les pédants diront pour servir. Peu importe. Au début du XVIIe siècle, le "geste qui sauve" consiste désormais, aussi, à déplier un bout de feuille plutôt mal imprimé, mais porteur d'un peu de connaissance.

Bien que le premier journal fût né d'un provincial, la presse régionale n'en existait pas pour autant. Il fallut attendre un siècle.

Marie de Médicis, Louis XIII et Richelieu sont entrés dans les livres d'histoire. Louis XIV a eu le temps de briller, puis de s'éteindre lorsque paraissent les *Affiches de Lyon,* feuille d'annonces, d'informations pratiques et de petites nouvelles plutôt "institutionnelles". Nous sommes en 1748, et Louis XV vient de signer la paix d'Aix-La-Chapelle.

En 1759 apparaissent les *Affiches de Toulouse,* puis les *Affiches de Bordeaux.* C'est aux Toulousains que revient la création de la première "édition régionale" en 1775. Lyon, Angers figureront aussi, à la veille de la Révolution, parmi un cercle restreint de feuilles modestes, au tirage limité, dans une France rurale où la circulation des idées va au pas des chevaux. Paris dirige, Paris sait tout, complote, autorise ou interdit. C'est Paris qui communique.

En 1870, alors qu'Emile de Girardin a déjà jeté les bases de l'entreprise de presse avec son économie fondée sur la double vente au lecteur et à l'annonceur, les journaux diffusent à peine plus d'un million d'exemplaires à Paris et 300 000 en province. 300 000 qui procurent du travail à 179 entreprises ! L'échelle donne, aujourd'hui, le vertige.

Mais l'essentiel est là: le besoin d'une information de proximité existe, la circulation des idées et des services rendus a fait ses premiers pas. Le temps des troubadours est loin, celui des rotatives va venir. La loi du 29 juillet 1881 sur la liberté de la presse, en supprimant autorisation préalable, cautionnement ou censure, confirme que la IIIe République continue sur la route que Jules Ferry commence à tracer avec l'enseignement primaire. On va savoir écrire et lire dans le plus petit hameau. On va donc pouvoir s'informer. Une roto va plus vite qu'une diligence. Et le journal ne vaut qu'un sou.

A la veille de la guerre de 1914-1918, la presse parisienne est riche de 80 titres qui publient 5,5 millions d'exemplaires, tandis qu'avec 250 publications la presse de province montre sa diversité et sa force avec plus de 4 millions de journaux vendus.

En temps de conflit, qui n'a pas besoin de nouvelles d'un fils, d'un ami ? Le ministère publie régulièrement des télégrammes très officiels sur la situation du front. A Agen, pour rendre service, un imprimeur les affiche dans sa vitrine. Il constate l'intérêt qu'ils suscitent à la longueur des queues qui se forment pour lire ces petits télégrammes bleus où tonne le canon.

Pourquoi, pense-t-il, ne pas les imprimer et les distribuer pour quelques centimes, en y ajoutant, par exemple, les avis d'obsèques qu'on lui porte à composer et les bulletins d'information de l'agence Havas ? *Le Petit Bleu d'Agen* est né, comme bien d'autres verront le jour, ici et là, pour suivre la vie ou la mort d'un voisin, d'un parent.

Aux jours de paix revenus, la PQR n'oubliera jamais ce lien privilégié de l'ami qui doit, au petit matin, apporter une réponse à chaque question de la vie quotidienne. Sur cet humus fertile, elle saura très vite faire grandir une information nationale et internationale d'une qualité au moins égale à la presse parisienne.

Sait-on que *La Petite Gironde* de Bordeaux diffusait entre les deux guerres de la Loire aux Pyrénées ; que ses propriétaires, la famille Chapon, éditaient un journal à Orléans ? Aucun champion de marketing n'oserait aujourd'hui conseiller un titre aussi "réducteur" pour vendre à Poitiers. Et aucun législateur ne se satisfera d'apprendre que les concentrations pouvaient être fortes il y a déjà un demi-siècle.

Dans les années qui suivent la Grande Guerre, les 250 titres ne sont plus que 175 en région. Mais la presse de province a pris racine : plus de 5 millions de journaux. La presse parisienne se situe à 5,5 mais avec seulement 31 titres. Un mouvement est en marche. L'écart se resserre entre Paris et la province. En 1939, capitale et province font match nul.

Deuxième naissance : la Libération

La Deuxième Guerre mondiale, en coupant d'abord la France en deux ("libre" et "occupée"), puis en milliers d'éclats de petites haines et de grands courages, accouchera, parfois "au forceps", d'une nouvelle presse parisienne et régionale. C'est la deuxième naissance de la PQR. République, Liberté, Républicain, Libre vont coiffer la plupart des titres du bonnet phrygien de la France retrouvée. Bien de ces enfants mourront jeunes, illusions perdues, militantisme épuisé ou amateurisme déçu. D'autres continueront gaillardement la route. Certains, enfin, se regrouperont en famille.

En 1945, la province achète 7 500 000 journaux par jour, à peu près 3 millions de plus que les quotidiens parisiens. Plusieurs facteurs ont contribué à cette inversion de tendance.

Tout d'abord l'Occupation. Sur le plan pratique, elle a privé des zones entières de diffusion. Dans le domaine professionnel, il a fallu se saborder ou survivre avec la *Propaganda Staffel*. Une presse de propagande était au grand jour quand se préparaient, dans les caves, les journaux de la Résistance. L'Occupation a aussi fortement révélé la solidarité ou l'identité locales. On ne fait pas impunément la queue avec les mêmes tickets pendant des heures et des jours, après avoir lu dans le journal le lieu et l'heure des distributions. Il y a des périodes où la "grande politique" a la densité du lait écrémé et le goût fade du topinambour.

La Libération, enfin, qui, dans une explosion de joie, a donné l'envie à chaque département, à chaque ville, de "crier ton nom Liberté". Avec des mots maladroits et emphatiques sur un papier tellement rare qu'on imprime parfois deux titres différents l'un au *recto,* l'autre au *verso.* Avec des "commissaires de la République", des "délégués à l'Information", quelques flonflons de mitraillette, la France a son printemps de la presse : 15 millions de journaux ! Un record jamais égalé. Après cette pointe euphorique, l'évolution sera difficile.

Aujourd'hui, les Français achètent environ 10 millions de journaux, un peu plus de 7 millions de régionaux ou départementaux, un peu moins de 3 millions de titres dits nationaux. Si l'on excepte les années exceptionnelles de l'après-Libération (9 millions de journaux), la PQR se maintient depuis quarante ans sur la crête des 7 millions d'exemplaires. Stagnation qui, pour comporter de brillantes exceptions, n'en est pas moins préoccupante.

Comme le note Louis Guéry, la France se place au 30ᵉ rang mondial pour la diffusion avec moins d'un journal pour quatre habitants loin derrière le Japon, pire encore, largement distancé par l'Islande, et pas même à la hauteur du Koweït.

La presse écrite cherche son second souffle. La PQR, bien que relativement épargnée, n'en est pas moins concernée. Sa légitime fierté de compter dans ses rangs, avec *Ouest-France,* le premier journal français ne doit pas lui faire oublier que cette performance résulte d'un double phénomène : tandis que le grand quotidien de Rennes croissait de 400 000 à 760 000 numéros en quarante ans, les grands parisiens comme *France-Soir* (1 350 000 exemplaires au sommet) s'effondraient. Rude et triste réalité que l'absence, en France, d'un quotidien atteignant le million d'exemplaires.

Plusieurs raisons ont souvent été avancées pour tenter d'expliquer cette situation. L'une est sûre : la PQR tient mieux parce qu'elle est très profondément implantée, très identifiée à son environnement et qu'elle apporte une sorte de "service public" en irriguant les plus petits villages et en puisant, en eux, quelques réalités profondes qui, sans elle, ne remonteraient pas à la surface. On s'est moqué d'elle, de son béret basque dans les concours de boules, de ses souliers vernis à la préfecture, de ses stylos à encre sympathique pour les puissants. C'était mal la connaître et mal la lire, car elle est, selon le mot de François-Régis Hutin, "ouverte de la commune au monde". L'autre est probable : un prix trop élevé qui, après s'être aligné longtemps sur le timbre-poste, a joué plus vite que l'inflation et découragé les petites bourses.

Certaines sont possibles : elles font référence soit au climat et au tempérament latins, soit à une ancienne pesanteur religieuse, ou bien encore au refus d'une presse engagée dans la propagande comme dans la polémique.

Longtemps, enfin, la PQR, forte de son pacte de solidarité avec ses lecteurs, s'est considérée comme "prévendue". Elle a découvert, depuis quelques années seulement, les vertus du marketing et la nécessité d'être un produit face à un marché, en adaptant sa démarche sans perdre son éthique. L'exercice est il est vrai périlleux. On ne goûte pas impunément aux plaisirs artificiels du "Bingo".

Bref, le temps d'analyser les raisons et de chercher les remèdes, la PQR riche de 153 à 175 titres au lendemain de la Libération n'en compte maintenant plus que 68. Les concentrations amorcées dès 1947-1948, lorsque les chefs de maquis ne se sont pas tous révélés de bons chefs d'entreprise, se sont accélérées de 1950 (encore 126 titres) à 1970 (81 journaux de province).

Vers une renaissance ?

Aujourd'hui, la PQR est toujours une affaire de "familles". Mais, du grand soir des techniques au matin des commerciaux, les années quatre-vingt-dix laissent présager une autre presse régionale que symbolise déjà une nouvelle race de managers. Les familles dont nous contons l'histoire vont devoir de plus en plus compter leur résultats, et l'épopée prend de fortes résonances de "cash-flow". Finie la Belle Epoque. Est-ce la Grande Epoque qui se prépare dans la chaleur et le bruit d'une presse confrontée à une internationalisation progressive ? L'encre de la réponse n'est pas encore sèche et cette brève étude ne prétend ni à l'exhaustivité ni à l'infaillibilité. Elle est un simple voyage au cœur de la presse quotidienne régionale. En se rappelant, si nécessaire, que Lucien Bodard estime que le reportage le plus exact "est celui où l'on est honnête tout en laissant parler l'imagination".

Tour d'horizon sur...

la presse quotidienne régionale

Le jeu des familles

La famille est là au grand complet, ou presque. Ils sont tous venus, des lointaines Marches de l'Est, de la connétablie de Guyenne, du comté de Nice et du duché de Bretagne, des provinces de Picardie et du Berry. Dans un grand salon du Pré Catelan à Paris, grands, petits, moyens patrons se trouvent réunis pour l'assemblée du syndicat de la presse quotidienne régionale. Derrière les fenêtres entrouvertes, le parc ressemble à une douce quadrichromie imprimée de soleil. L'ambiance est cordiale ; on est toujours content de se retrouver en famille.

Autour de Jacques Saint-Cricq, ses deux vice-présidents : Evelyne Baylet et Jean-Louis Prévost. Devant eux, l'essentiel de ceux qui informent la province. La tradition veut qu'ils se distinguent autant par leur personnalité que par leur tirage. La famille PQR a un arbre généalogique encore compliqué, même s'il tend paradoxalement à se simplifier de plus en plus par le haut.

Le tronc a eu toute la sève de la Résistance et un foisonnement de bourgeons. Près d'un demi-siècle plus tard, la taille a été sévère. Si bien qu'il est simple aujourd'hui de suivre les "branches" :

- Les journaux appartenant à un groupe multimédia national. On est de la branche Hersant ou de la branche Hachette.

- Les places fortes régionales dans lesquelles un grand journal a fédéré un certain nombre de titres voisins. Par exemple, *La Voix du Nord, Sud-Ouest, Le Parisien, La Montagne, Midi Libre, La Dépêche du Midi.*

- Les citadelles "hors les murs" (un quotidien leader sans titre associé) : *Nouvelle République du Centre-Ouest, Républicain Lorrain* et *Bien Public* (des accords rapprochent progressivement le second du premier), *L'Est Républicain, l'Alsace, Nice Matin* et *La République du Centre.*

Hors toutes catégories, car il est tout à la fois un journal et un groupe à lui tout seul, place forte et citadelle, avec le plus haut donjon de France pour veiller farouchement sur son indépendance : *Ouest-France* qui a donné ses lettres de noblesse nationales au "réduit breton". Cette grille de lecture permet de situer les trente-deux gentilshommes présents, ceux qui pèsent en PQR.

Un premier bilan fait apparaître :

1. Les poids lourds :

- Il n'y a plus de millionnaires (alors que Paris en a compté jusqu'en 1939).

- Les journaux Hersant forment le seul peloton détaché des "millionnaires associés" avec 7 titres et non des moindres.

- Un seul titre peut laisser espérer que la nostalgie ne sera plus ce qu'elle était : *Ouest-France* qui caracole vers 800 000 exemplaires.

Parmi les deux poids lourds on entend bien que le rapprochement se fait ici en quantité d'exemplaires, sans supposer le moindre air de famille !

2. Les poids super-moyens :

Sur la bascule ces groupes pèsent entre 450 000 et 550 000 exemplaires. 15 titres avec le clan Hachette (*Dernières Nouvelles d'Alsace, Provençal, Var Matin, Méridional, Le Soir*), les éditions Amaury (*Parisien, Maine Libre*, une participation dans le *Courrier de l'Ouest*) et le Groupe *Sud-Ouest* (*Charente Libre, République des Pyrénées, Eclair Pyrénées, La France, Dordogne Libre*). Plus le petit cousinage *Voix du Nord* et *Courrier Picard.*

3. Les poids moyens :

Seuls ou en groupe ils représentent de 250 000 à 380 000 exemplaires : *Centre-France* (*La Montagne, Le Populaire du Centre, Le Journal du Centre* et *Le Berry Républicain*), *La Nouvelle République du Centre-Ouest, Nice Matin, L'Est Républicain, Midi Libre* (*L'Indépendant* et *Centre Presse* Rodez), *La Dépêche* (*Nouvelle République des Pyrénées* et *Petit Bleu*). Entre 10 et 13 titres.

4. Les poids welters :

Entre 100 000 et 200 000 exemplaires : *Le Républicain lorrain, Le Télégramme de Brest, L'Alsace.*

Ajoutons immédiatement que toute classification est trompeuse, celle-ci, comme d'autres, qui ne "pèse" qu'une quantité d'exemplaires alors qu'un journal vaut aussi et surtout par sa personnalité et son influence. Mais quel autre choix échapperait à la subjectivité ?

En ce printemps 1989, la carte de France est claire : tout l'ouest, de Morlaix à Bordeaux, en passant par Rennes et Tours, tient son indépendance soit farouchement isolée, soit intelligemment associée. Même situation dans le Nord et une partie de l'Est. Le Sud s'interroge ou plutôt on interroge le Sud : Hachette installé à Marseille, Hersant sensible à Montpellier, une stratégie secrète permettra-t-elle de pousser vers Toulouse d'une part, vers Nice de l'autre ? Au Centre, *La Montagne* "assure", *La République* du même nom "maintient".

En juin 1989, la PQR, c'est la force tranquille. Au moins le 7. Car le 10, deux bombes éclatent où on ne les attendait pas : *La Voix du Nord* et *L'Est Républicain* font l'objet d'une tentative d'OPA. Offensive exemplaire qui montre combien la PQR, sous-capitalisée, avec de multiples petits actionnaires parfois inconnus ou disparus, peut être vulnérable. « J'avais connu, dit un membre du cabinet de Catherine Tasca, deux étapes pour la presse ; à l'origine c'était une activité de services ; c'était devenu une entreprise industrielle ; voici le troisième stade : une activité capitalistique. »

Cela change la nature des choses. Sur la carte de France, Hersant est aux quatre points cardinaux ; Hachette se sert de la même boussole pour avancer. Quarante-cinq ans après, il n'y a plus guère de résistance ; ni au propre ni au figuré. Mais il y a toujours ceux qui se battent, mousquetaires, gentilshommes ou francs-tireurs.

En entrant maintenant au cœur même de la presse régionale traditionnelle et classique, le lecteur doit être prévenu que tel titre que nous allons brièvement étudier au sein d'une famille peut très bien, demain, avoir changé de toit. A partir de l'instantané que nous allons donner, l'intérêt sera de collectionner les photos suivantes et de regarder les personnages ou les titres apparaître ou disparaître dans d'autres cadres. Nous ne sommes, ici, qu'une page d'album dont les documents sont disposés d'une façon que l'on pourra juger subjective et donc arbitraire. Si cela est vrai, que l'on veuille bien pratiquer le pardon sachant que l'intention n'est pas de fixer une hiérarchie des valeurs, un classement au mérite... Si cela est faux, la preuve aura été apportée qu'au-delà de ses forces et de ses faiblesses, de la puissance mathématique ou morale d'un titre, la PQR construit son avenir selon des conceptions "architecturales" différentes et des tempéraments variés. Telle est la force de sa différence.

Les quatre points cardinaux

On a longtemps pensé qu'ils étaient quatre. Les trois "H" et puis un "M". C'est-à-dire Hersant, Hachette, Havas et celui qui a reconstitué à sa manière l'empire britannique, Robert Maxwell. Actuellement, ils ne sont que deux. En 1989, Havas et Maxwell ont apparemment évolué dans leur stratégie. Mais, il ne faut jurer de rien, et partir du principe que dans les très proches années, la PQR va connaître des glissements plus ou moins furtifs qui déjouent nécessairement bien des analyses.

Havas : immersion périscopique ?

En 1987, Havas rencontre deux difficultés : le rachat des *Echos* n'aboutit pas, malgré 500 millions sur la table. La main tendue à certains régionaux pose un problème de fond : peut-on être régisseur et actionnaire d'un titre, client et fournisseur ? Levée de boucliers.

En janvier 1988, Pierre Dauzier, président d'Havas, annonce la nouvelle stratégie "d'accompagnement" de la PQR : « Nous sommes ouverts à tout journal indépendant qui ferait appel à nous. Nous n'avons pas la démarche du groupe Hersant ou d'Hachette qui cherchent à prendre le contrôle total d'un titre. Je n'ai aucune volonté de domination, aucun désir d'influence, aucun appétit éditorial ni d'ailleurs aucune exigence. Nous ne prendrons vraisemblablement que des participations minoritaires, mais encore une fois à la demande des partenaires et pour aider à leur développement et au maintien de leur indépendance. »

Peu après, Havas achète le numéro un des supports gratuits, la Comareg de Paul Dini et avec l'apport de certains de ses gratuits détenus en direct, crée la première société française de presse gratuite : 30 % du marché, 130 titres. Elle met ainsi en question sa présence dans *Le Carillon* aux côtés d'*Ouest-France*.

La séparation courtoise du premier régisseur français et du leader de la presse marque une date dans l'histoire de la PQR. Elle a été consommée en 1989, *Ouest-France* mettant sur pied sa propre régie locale comme le groupe *Sud-Ouest* l'avait fait quelques années auparavant. Mais, avec des titres importants comme *La NRCO*, *Midi Libre* ou *L'Alsace*, des associations en matière de gratuits avec *La Voix du Nord*, Havas gère encore maintenant la publicité locale du tiers de la PQR. L'agence s'est dotée de nouvelles structures qui démontrent que le secteur régional n'est pas abandonné. Elle se trouve néanmoins en coquetterie avec bon nombre de partenaires de la PQR qui ont essayé de verrouiller leur marché publicitaire, en créant des sociétés communes de gratuits. Havas "accompagne" les régionaux dans son seul métier de base, la publicité. Immersion périscopique ou repositionnement ? Qui, demain, pourrait saisir la main tendue par Havas pour assurer le "maintien de son indépendance" ? Réponse un jour dans la rubrique média de votre quotidien.

Maxwell : l'armistice et non la paix

Premier "grand" à venir d'ailleurs, il débarqua un beau matin avec la discrétion de Patton sur la plage d'Omaha Beach. De fins observateurs ou de mauvaises langues crurent remarquer que les vagues avaient des transparences roses. Il n'en eut cure ; sa réussite prodigieuse parlait pour lui. Un tir continu d'annonces bombarda la presse française. Robert Maxwell affichait une stratégie tous azimuts dans laquelle la PQR avait sa part : rachat ou création de quotidiens, audiovisuel, imprimerie, agences... La progression se lit presque sur une carte d'état-major.

En 1986, Maxwell achète la majorité de l'Agence centrale de presse, y installe son fils Ian. On imagine une base de départ. L'ACP a été fondée en 1951 par *Le Provençal, Midi Libre, Nice Matin* et *La Montagne,* désireux de doter la PQR de sa propre agence d'information, à des conditions de services et de prix qui conviennent mieux à ses besoins rédactionnels et à ses capacités financières. L'ACP, présidée avec verve par André Poitevin, alors directeur général du *Provençal,* et Paul Braunstein, se pose en concurrente de l'AFP, surtout sur le plan intérieur. Un accord avec l'agence Reuters, en 1974, conforte la partie internationale. Et - à ce moment-là - l'ACP a de bons clients : de *La Dépêche du Midi* à *L'Est Républicain* en passant par *L'Éclair des Pyrénées.*

Le monde des agences est rude. Son expansion se révèle très liée à la diversification de l'offre et à l'évolution des techniques de transmission, donc à une grande anticipation des besoins comme à une importante capacité d'investissement. En 1986, l'ACP est un bateau qui coule, malgré les efforts d'André Poitevin pour appeler ses confrères à combler les voies d'eau. Un seul sauveur : Robert Maxwell. Il achète les deux tiers des actions sous le regard attendri de l'Elysée où l'on ne voit pas d'un mauvais œil, en régime de cohabitation Chirac, un "travailliste" venir "rééquilibrer" le paysage national de la communication dominé, dit-on, par des groupes hostiles ou "peu sûrs". Depuis les fenêtres de l'ACP, Maxwell acquiert une premier champ de vision sur la presse, en particulier régionale et départementale, puisque c'est elle qui forme une bonne partie du dernier carré d'abonnés. Par filiation spirituelle naturelle, Robert Maxwell et André Poitevin vont donc se retrouver au pied du *Provençal*.

Mai 1986, le petit chapeau de Gaston Defferre salue une dernière fois les Marseillais. Trahi par la Fédération socialiste, puis par son cœur, le premier des Marseillais, qui fut longtemps parmi les premiers en France, est mort soudain, créant une implosion dont les ondes de choc sont longues à se dissiper. Déjà, en 1985, une autre figure légendaire du groupe, et gros actionnaire du *Provençal* et de *Var Matin,* Francis Leenhardt, a disparu. La famille est doublement et douloureusement orpheline. André Poitevin voit quarante années de fidélité et de dévouement récompensées par sa nomination comme P-DG. Mais à l'intérieur du capital et des successions, les choses ne sont pas aussi simples.

Qui pourrait le mieux résoudre les problèmes "capitalistiques" d'un groupe qui revendique clairement sa sensibilité socialiste ? En 1987, Robert Maxwell retrouve André Poitevin ; et d'autres, sans doute, car Edmonde Charles-Roux et son conseil, Maître Paul Lombard, assurent aussi le respect de la mémoire de "Gaston". Le dossier semble bien évoluer, notamment du côté de l'autre succession où Anne-Marie Laffont-Leenhardt poursuit avec droiture la mission de son père.

L'Elysée a toujours un œil mouillé, lorsque - patatras ! - au mois de juin 1987 Jean-Luc Lagardère annonce qu'Hachette a passé un accord avec André Poitevin et Edmonde Charles-Roux - par ailleurs un des bons auteurs de Grasset (même famille). Un retournement de situation qui nourrit encore, et sans doute pour longtemps, un procès que la famille Leenhardt poursuit pour faire annuler cette vente.

Echec en tout cas pour Maxwell, repoussé à la mer. Et ce n'est pas fini. D'immenses difficultés s'accumulent sur l'ACP qui, en 1988, perd la valeur des deux tiers de son chiffre d'affaires. L'été 1989 accumule les nuages. Michel Burton quitte la direction en tonnant et même en étonnant. Peu après, Maxwell annonce sa volonté de ne plus s'enfoncer dans le gouffre. C'est la quatrième crise de l'ACP qui pose une rude question : y a-t-il place pour deux agences généralistes en France, alors que la première - l'AFP - a besoin d'efforts méritoires pour vivre normalement ?

Pour l'heure, le débarquement de Maxwell n'est réussi ni en PQR ni au plan national, où le projet de quotidien populaire paraît en sommeil comme celui de journal européen. Mais ne jurons de rien, surtout avec un homme dont les fulgurances ont de solides abonnements avec la réussite et de nombreux services "gratuits" avec la chance. Pourquoi, par exemple, continue-t-il dans son projet d'investissement dans trois centres d'impression à Roissy, Lyon et Toulouse ? Ne demeure-t-il pas aussi dans Euris un fonds d'investissement qui ne cache pas ses ambitions de pénétrer la PQR ? A ceux qui s'interrogent, il fait une réponse de Normand : je suis arrêté, mais ça ne va pas durer. « Je n'ai pas besoin d'acheter les faveurs d'un gouvernement. Si la France ne veut pas de mon théâtre, j'irai le jouer aux Etats-Unis. Je viens d'y racheter les éditions MacMillan et de signer un contrat exclusif avec Georges Schultz pour publier ses mémoires. Il est vrai qu'en France, je suis aujourd'hui un peu bloqué, mais cela ne va pas durer. Un pays où, malgré la loi, M. Berlusconi peut avoir des participations dans TF1 et la Cinq est une sorte de république bananière. J'ai signé un armistice mais pas la paix. Quant à la presse, j'attends avec intérêt la décision de la justice sur le contentieux qui m'oppose à Hachette pour le rachat du *Provençal*. Mais on en parlera un autre jour : il ne faut pas mélanger le "business" et la "fête". »

Hachette : des opportunités

Comme tout corps constitué, la presse régionale sort ses schémas réducteurs. Ainsi a-t-elle ses "bons" et ses "méchants". Il existe tout de même une originalité : les "bons" ne le sont pas pour tous, et les "méchants" ne font pas peur à tout le monde.

Havas peut-il être pour la PQR un "bon" ou un "méchant", en fonction des variations stratégiques et des intérêts croisés ? Sans doute l'un ou l'autre alternativement, ou l'un et l'autre simultanément. Maxwell est inclassable dans le genre français. Où poser cette armoire normande sans virer préalablement deux ou trois fauteuils ? Hersant n'éprouve aucun complexe à se reconnaître plutôt parmi les "méchants" : chaque bruit de papier froissé lui est immédiatement imputé. Le "papivore" a largement de quoi assumer.

Hachette se dit "bon". Sa tradition professionnelle de communication en fait un vieux compagnon de route de la PQR notamment à travers le réseau de distribution commun. Or, ce cousin éloigné a un des plus beaux appétits de la famille. Mais il se tient correctement à table.

Pour Jean-Luc Lagardère, président de Hachette comme de Matra, l'acquisition de Grolier et de Diamandis aux USA, et de Salvat en Espagne en 1988, a changé la dimension de ce que les médias appellent plus ou moins amicalement la "pieuvre verte". « Hachette est entré, note-t-il avec fierté, dans le club très fermé des groupes de communication de plus de 4 milliards de dollars de chiffre d'affaires. » Près de la moitié de ce chiffre a été réalisé à l'étranger : 11,8 milliards de FF sur 24,5 en 1988. L'activité générale du groupe donne toujours la première place à la distribution et aux services (36,9 % du CA). Mais la presse n'est pas loin (33, 6 %), secteur dominé, il est vrai, par les magazines parmi lesquels *Télé 7 jours* détient le ruban bleu avec plus de 3 millions d'exemplaires. Leader des hebdos TV, Hachette a connu l'amertume de ne pas passer du papier glacé au fenestron.

En 1987, Bouygues lui a été préféré pour TF1. Elle espère bien ne pas avoir les mêmes déconvenues, même provisoires, avec la PQR. C'est sans doute pourquoi - outre *L'Echo Républicain* qui vit bien sa vie, et une participation significative dans les Editions Amaury - le groupe a choisi deux implantations de qualité, l'une à l'Est, l'autre au Sud.

En 1980, Matra a acheté *Les Dernières Nouvelles d'Alsace* aux actionnaires de la librairie Quillet. En 1987, l'entrée du groupe dans *Le Provençal* a confirmé une réelle stratégie régionale qui a été structurée au sein de Quillet SA dont Gérald de Roquemaurel, vice-président-directeur général d'Hachette, a été nommé président.

Avec plus de 560 000 exemplaires vendus, le groupe débouche en bonne position sur le terrain régional, après *Ouest-France* et la galaxie Hersant. Le chiffre d'affaires consolidé du groupe PQR (*DNA, Provençal, Var Matin, Le Méridional* et *le Soir*) s'est élevé en 1988 à 1,5 milliard de francs, plus fort que celui d'*Ouest-France* (1,3) ou les groupes *Voix du Nord* et *Sud-Ouest* (1,1). Les thermomètres n'indiquent toutefois pas la même température entre l'Est, où les *DNA* affichent une éclatante santé et le Sud-Est où *Le Provençal* soigne son anémie des dernières années.

Pour *Le Provençal* lui-même, 1987 avait été bénéficiaire ; 1988 accuse une perte nette comptable de 1,8 MF. Pire, la diffusion tombe de 6 %, ce qui prouve qu'elle n'est plus sensible au dopage du "Bingo" dont le journal de Marseille fut le premier importateur en France. Langueur passagère ou tumeur maligne ?

Le Provençal a toujours pratiqué deux grandes religions : le defferisme et l'avant-garde informatique. La première n'avait pas pour objet de favoriser l'ouverture objective des colonnes hors de la clientèle du maire. Pour le pluralisme de l'information, il suffisait de tourner l'angle du bâtiment et d'entrer au *Méridional*, qui se bat à droite. Même s'il s'inscrit dans une vieille tradition de politique marseillaise, le lecteur a de plus en plus de mal à accepter une information "encadrée". Il lui arrive d'aller à la pêche, surtout lorsque les augmentations de prix se succèdent jusqu'à atteindre 4 francs.

Pour le retenir - on l'a dit - des jeux. Mais il faut toujours passer de la drogue douce à la dure, c'est-à-dire multiplier les "lotos" et augmenter la dotation. Plus professionnel fut le "lifting" qu'un ancien de *Libération*, Antonio Bellavita, opéra en 1986 sur les titres phocéens. Il sut jouer de la double tonalité du groupe en accentuant le côté populaire du *Provençal* par un jeu agressif de couleurs, de titres et de lettrines, et la vocation "bourgeoise" du *Méridional* grâce à un graphisme plus strict de style *Figaro*. L'évolution rapide de l'informatisation, favorisée par les vues prospectives d'André Elkouby, et un syndicalisme Livre, modelé par le député socialiste Gaston Defferre, favorisèrent l'évolution technique. La rédaction parut peu concernée (volontairement ou non), si bien que toutes ces "religions" se cherchèrent un petit supplément d'âme.

Aujourd'hui, le groupe *Provençal* fait jouer ses muscles et juge que la meilleure défense contre l'érosion, c'est encore et toujours l'attaque. Il revient à Nîmes pour 5 000 numéros et enfonce ses racines en Corse, en localisant et renforçant ses moyens rédactionnels et techniques dans l'île. Comme la publicité s'inscrit dans une bonne tendance (+ 6,6 % en 1988), le retour à l'équilibre est prévu en 1989. Un jeune énarque, Laurent Perpère, y veille désormais avec la clairvoyance de l'inspecteur des Finances et du normalien qu'il fut.

Les Dernières Nouvelles d'Alsace demeurent la fille modèle du groupe en améliorant un excellent taux de rentabilité tout en perfectionnant la qualité constante de la démarche rédactionnelle. Les *DNA* vivent une très forte identité avec l'environnement alsacien, une fidélité d'hommes et de femmes, une complicité d'avenir que les années 40 ont scellées dans la solidarité de la révolte et de la détresse. 90 % des numéros portés assurent le maintien de la diffusion qu'une politique intelligemment associée rédaction-marketing se bat pour relancer sans cesse. Ainsi un bon lancement d'un cahier "Emploi" (la formule des "cahiers" étant très avancée dans l'Est) a-t-il relancé l'intérêt des lecteurs et participé à l'amélioration du chiffre d'affaires publicitaire (+ 10,3 %).

«La composition du journal en cahiers lui donne un air très ordonné, en même temps qu'une certaine richesse d'information», constate Jacques Puymartin. Venu, en 1983, du milieu économique et financier, le président des *DNA* a très vite été reconnu par la profession grâce à sa capacité d'écoute et de synthèse. Les *DNA* sont également la source d'une diversification prudente vers les services (voyages, affichage, conseil) ou nouveaux médias. Qui ne connaît le service télématique Gretel, qui fut à l'origine du premier mariage "électronique" et ouvrit, avec Claude Landaret, des voies inexplorées ?

Diversifiée sur le territoire, Hachette l'est moins que le groupe Hersant. Mais ses deux "têtes de pont" marquent la volonté de progresser par des initiatives très structurées. Peut-on écrire, ensuite, qu'il y a entre Hachette et PQR comme de la carotte et du bâton ? Ce n'est sans doute pas aussi simple face à une stratégie double. D'une part, Hachette recherche le maximum d'associations avec les groupes régionaux, autour de son supplément (repris à Michel Hommel et lancé pour la première fois par *L'Est Républicain*). D'autre part, le groupe se veut iconoclaste et conteste le code de bienséance que le temps avait établi avec ses voisins. Ainsi, *Le Méridional* part en guerre sainte contre *Midi Libre* à Nîmes, et *Le Provençal* accentue sa pression sur la Corse face à *Nice Matin*.

L'offensive n'est sans doute pas due au hasard des armes. Elle vise deux titres que l'on soupçonne - à tort disent les intéressés - d'être proches de l'empire Hersant. Il suffit de regarder une carte depuis Marseille pour comprendre l'enjeu des deux "fronts". L'un, Hersant, déjà établi tout au long du couloir rhodanien, attend un vase naturel d'expansion en descendant deux pseudopodes vers Montpellier et Nice. La "pieuvre verte" serait enserrée. Stratégie verticale. L'autre, Hachette, doit choisir une stratégie plus horizontale pour dresser une ligne de front incontournable de Montpellier à Nice. Les "panzers" du papivore seraient stoppés entre Grenoble et Aix.

Le Sud-Est constitue l'un des points chauds de la PQR. Qu'il y ait domination de l'un ou de l'autre ne serait pas neutre puisque, de Strasbourg à Marseille, la PQR serait entièrement au sein de l'un des deux groupes. Si bien qu'on se prend à penser que Jean-Luc Lagardère ne manque pas d'un humour visionnaire lorsqu'il affirme : « Le groupe Hachette est protégé contre les risques de mainmise ; en revanche il doit être prêt à tout instant à saisir des opportunités. » Or, des "opportunités", l'avenir risque d'en offrir un certain nombre. La carte de France de la PQR n'est pas figée. Même si on a le sentiment que le groupe Hersant en a déjà coulé plus de 15 % dans son béton armé.

Hersant : toujours en avance d'une loi

On ne va pas recommencer pour la 350e fois l'histoire de Robert Hersant. Elle a déjà inspiré tous les Alexandre Dumas de cette fin de siècle. Elle est tellement fabuleuse et tellement liée à la personnalité du "patron", qu'il s'avère difficile de dissocier l'aventurier (l'homme aventureux) de l'aventure. Ce modeste récit n'étant pas prévu en dix volumes, on fera un choix.

Pour observer la présence du groupe dans la PQR actuelle, on se contentera d'aller chercher l'autre bout - le bout initial - d'une pelote de ficelle pleine de nœuds. On suivra - au départ et à l'arrivée - la course de celui qui a appliqué avec beaucoup d'efficacité une de ses devises : « Il faut toujours être en avance d'une loi.»

A l'origine donc, les deux vecteurs qui vont initier le parcours : être patron de presse et patron politique, l'élu ayant pour fonction essentielle d'aider et de protéger l'éditeur. Robert Hersant l'explique d'ailleurs avec sa franchise habituelle à Jean-Louis Servan-Schreiber dans une interview à *L'Expansion* (1976) : « Il faut dire que le comportement des hommes au pouvoir est différent lorsque l'animateur d'un groupe de presse est également parlementaire. »

Il sera avant tout homme de presse en réussissant, à trente ans, un premier coup de maître. Le 15 janvier 1950, constatant que la voiture est en train de devenir la passion des Français, il lance *L'Auto-Journal* (bimensuel). Il mène combat pour les automobilistes, fait scandale en publiant les plans du moteur de la future DS, invente les premières chroniques gastronomiques et touristiques. En 1953, *L'Auto-Journal* frôle les 300 000 exemplaires et devient une excellente affaire.

Voilà une bonne chose de faite. Reste la politique. Pour des raisons de proximité, donc de commodité, pour un homme dont la priorité reste "ailleurs", il choisit l'Oise comme Marcel Dassault avec lequel il sera en affaires à plusieurs reprises. Maire de Ravenel (800 habitants) en février 1955, il est conseiller général deux mois après. Pour animer sa campagne électorale les électeurs ébahis ont vu défiler Jean Nohain, Luis Mariano et Martine Carol. Mais, ils ont des yeux de velours pour cet homme entreprenant qui a réglé le dossier de l'adduction d'eau en deux mois et créé de jolies colonies de vacances. Le 2 janvier 1956, il est député pour la première fois. Le plan a réussi, même avec une invalidation et une réélection... D'autant mieux d'ailleurs que l'Oise a permis au patron de presse et à l'homme politique de se retrouver main dans la main. Dans l'étude de "marché" qui a précédé son arrivée dans le département, un hebdomadaire est à vendre. Il achète donc *La Semaine de l'Oise* et ensuite *L'Oise Matin,* trihebdomadaire. Le journal monte en pression dans la perspective des élections cantonales et législatives. Le 2 novembre 1954, *L'Oise Matin* devient un quotidien qu'il anime avec son sens aigu des attentes du public. Encore un succès : 50 000 exemplaires qui vont bien aider le candidat Robert Hersant.

Mais l'Oise va être aussi l'occasion d'assister aux premières escarmouches tactiques d'un homme de séduction et de persuasion, si proche d'un guerrier implacable. Face à *L'Oise Matin,* le régional de Reims - *L'Union* -

a une bonne édition. "R.H." use de charme et de réalisme pour convaincre ses confrères de trouver un "gentlemen agreement". *L'Union* fait la sourde oreille. Changement de tactique. Il trouve à Laon un bihebdomadaire qu'il transforme, *L'Aisne Matin*. Il le lance sur le terrain de *L'Union.*

Personne n'insiste ; l'accord intervient ; chacun chez soi et l'Oise sera bien gardée, au moins le temps pour "R.H." de prendre ses racines politiques aux alentours du centre-gauche. En 1960, Emilien Amaury déferlera à son tour sur l'Oise avec *Le Parisien libéré*, et raflera la mise après cinq ans d'une bataille acharnée.

Pour Hersant, il est temps de participer à la construction de son rêve unique : l'empire de presse. Jusqu'ici, il a utilement mêlé les genres ; mais il est avant tout celui qui a réussi *L'Auto-Journal,* et qui a appris à pétrir la pâte de l'opinion. Il est déjà un mitron doué ; il va devenir industriel : pains de campagne, pains complets, miche parisienne...

Son premier véritable "coup" de presse régionale va démontrer sa puissante imagination. Il sait - on le lui a assez dit - qu'il n'est pas en odeur de sainteté parmi les hiérarques de la PQR issus (eux...) de la Résistance. Puisqu'on ne veut pas lui faire de place, il entreprend de s'en tailler une en allant pêcher entre les mailles des grands régionaux. De Poitiers à Rodez en passant par Limoges, Brive, Aurillac, Châteauroux, quelques petits quotidiens (de 5 000 à 20 000 exemplaires) ont du mal à trouver leur oxygène. Robert Hersant lance ses filets en 1957, ramène le tout sous le titre progressivement imposé de *Centre Presse,* qui atteindra 130 000 exemplaires dans les années 60. Cette fois la pâte a levé. *Centre Presse* offre une couverture publicitaire disparate mais non négligeable. Les pages générales communes permettent des économies d'échelle. Il n'existe pas d'élan rédactionnel, mais la conquête commerciale prouve que le nouveau "maître" impose une vision très "marchande" du "produit". La démonstration ne se révèle pas totalement convaincante puisque au début des années 80 Robert Hersant vend *Centre Presse* par "appartements" : Rodez à *Midi Libre*, Limoges à *La Montagne*. Il garde Poitiers, qui reste avec Nantes son implantation dans l'Ouest, relativement légère comparée aux zones entières où, aujourd'hui, les rotatives du groupe assurent à l'empire la propriété d'un bon tiers des quotidiens parisiens (*Figaro, France-Soir* et feu *L'Aurore*) et plus de 15% du tirage de la PQR.

A Dominique Pons qui lui demandait : « Quel est le quotidien qui vous tient le plus à cœur ? » Il répondit un jour : « Le prochain... » Robert Hersant n'a jamais cessé - et ne cesse pas aujourd'hui - de vouloir du bien à son "prochain". Contrairement à Hachette qui, de Paris, a essaimé en province, c'est par de successives conquêtes régionales qu'Hersant, lui, a commencé avant d'investir Paris... Ce qu'on connaît le mieux aurait dit Thomas Diafoirus, "c'est mon commencement". La fin n'est pas écrite. Le groupe a grossi avec la stratégie d'un long fleuve tranquille qui accueille ou attire tous les affluents sur son passage. Que d'eau, que d'eau...

Au Nord : *Nord Matin* (quotidien socialiste acheté en 1967), *Nord Eclair* (accord d'échanges techniques avec *Nord Matin* en 1971, puis contrôle) et *L'Union*. Un beau nom pour ce journal de Reims qui voulut longtemps demeurer fidèle à l'esprit de sa fondation, en partageant également le pouvoir entre quatre mouvements de la Résistance et huit organisations syndicales ou politiques. Quatre gérants siégeaient ainsi derrière quatre bureaux dans la même pièce, vestales du souvenir. Lorsque l'avenir vint frapper à la porte en demandant investissements et restructuration, une violente crise secoua l'entreprise. De nombreuses hypothèses et quelques candidats se succédèrent. En 1986, le sauveur arrive : il s'appelle Hersant, mais se prénomme Philippe. C'est l'union familiale. A l'Est, rien de nouveau pour le moment.

A l'Ouest quelques beaux fleurons. Au premier rang, *Paris-Normandie* à la tête duquel s'illustra une figure légendaire de la presse, Pierre-René Wolf, le seul patron de PQR à écrire son "édito" quotidien à la "une". Etrange destinée : Robert Hersant a publié son premier papier en 1936, dans le journal de Rouen. Son assaut, tenté en 1971, n'aboutit qu'après la mort de Pierre-René Wolf, en avril 1972. René Lepretre, de compétence gestion et publicité, devient pour plusieurs années directeur de la publication. Le P-DG est aujourd'hui Jean Allard dont la vie politique fut longtemps proche de celle de Jean Lecanuet.

C'est aussi un politique connu, Philippe Mestre, ancien directeur de cabinet de Raymond Barre, entre autres étapes d'une brillante carrière préfectorale, qui préside *Presse-Océan* après que Claude Berneide-Reynal se fut retiré en 1983, au soir d'un longue carrière de manager avisé. Discret par sa petite silhouette, Claude Berneide-Raynal fut en réalité un grand de la Résistance au nom de laquelle il structura la PQR dans le Midi et l'Ouest. Grâce à Dominique Claudius-Petit, le quotidien de Nantes explora le premier les voies de la rédaction électronique. Dans ce grand "quart ouest" suivent le même courant, *L'Eclair* (Nantes) *Le Havre Libre* et *Le Havre Presse, La Liberté du Morbihan* et *Centre Presse* (Poitiers). Chaque titre a son histoire et sa vie dans le détail desquelles la "multitude Hersant" ne nous permet pas d'entrer, pour réserver au couloir rhodanien la place importante qui lui revient, dans une stratégie qui a connu là son Austerlitz régional.

Hersant : Châteauvallon en Rhône-Alpes

Progrès-Dauphiné ou le massacre. Nous sommes, au choix, ou bien dans un cas d'école (livres et thèses n'ont pas manqué pour analyser le suicide de deux des plus grands quotidiens régionaux), ou dans "Châteauvallon". A Lyon et à Grenoble, la "haine et la fureur" d'hommes souvent hors du commun a nourri un scénario-catastrophe qu'aucun auteur de télévision, même le plus imaginatif, n'aurait osé inventer. Rien, au départ, ne permettait de prévoir la rencontre d'un normalien lyonnais et d'un hôtelier grenoblois. Le premier, Emile Brémond, a succédé en 1939 à son beau-père, Léon Delaroche "inventeur" du *Progrès,* qu'il a fait passer de 5 000 exemplaires en 1880 à 300 000 à la veille de la guerre. Emile Brémond, l'homme qui sut concilier les citations latines et les analyses d'exploitation, décide d'arrêter *Le Progrès* en novembre 1942 pour résister aux contraintes allemandes (même en zone libre). Dans l'enthousiasme de la Libération le journal reparaît le 8 septembre 1944 en criant à la une : « Vive la France, vive la République. » Il tire les premiers numéros à 60 000 exemplaires...

Le second, Louis Richerot, sort, tout armé de truculence et de courage, de la Résistance grenobloise. En septembre 1945, après une période de cœxistence difficile au sein des "Allobroges" à direction communiste, il a créé *Le Dauphiné libéré* avec un autre hôtelier comme lui, un instituteur, un tripier et deux fonctionnaires municipaux. C'est fait, Louis Richerot est parti pour quarante années de "coups de gueule", de tutoiement des petits et des grands, de coups de main, de coups de cœur, d'incroyable roublardise.

Le temps de bien trouver leurs marques - 330 000 exemplaires pour *Le Progrès,* 285 000 pour *Le Dauphiné libéré* en 1955 - et les deux journaux livrent leur première bataille. Louis Richerot a dégoupillé sa grenade : le 1er février 1955, il sort *La Dernière Heure Lyonnaise.* Emile Brémond n'a pas les réflexes d'un maquisard. Il poursuit l'ascension du *Progrès* vers les 400 000 numéros, mais, en 1959, lance deux éditions au cœur du rival - Grenoble et Voiron -, et en 1963 prend le contrôle de *La Tribune* et de *L'Espoir* à Saint-Etienne. En 1964 et 1965 *Le Dauphiné libéré* atteint le sommet de son défi : non seulement il a répliqué en achetant *La Dépêche de Saint-Etienne,* mais encore et surtout il inaugure en grande pompe une imprimerie ultramoderne à Chassieu, aux portes de Lyon, qui en dit long sur ses intentions. Le dauphin plane, le lion rugit ; il fait chaud dans les "traboules" de Lyon et alentour.

Mais la fin des années 60 laisse entrevoir une autre fin : celle des années glorieuses de la PQR. La radio, la télévision sont devenues de nouveaux concurrents. Jean Brémond, fils d'Emile et directeur, constate que *Le Progrès* se trouve à l'étroit dans Lyon et doit songer à se décentraliser. *Le Dauphiné*, lui, est passé, à Chassieu, de l'euphorie du lancement à la morosité des annuités d'emprunt. Une guerre tonitruante s'achève par un pacte de paix qui fait encore plus de bruit. En septembre 1966, Emile Brémond - sous la pression de son fils - et Louis Richerot signent un accord inattendu qui rapproche les frères ennemis en trois familles : Entreprise de presse n°1 rassemble les quatre imprimeries (Chassieu, Grenoble, Saint-Etienne et Lyon) ; Province publicité n°1 devient régisseur de tous les titres ; AIGLES organise les rédactions en agence de presse régionale.

Stupeur, cris, grèves ; puis la vie l'emporte. Au début des années soixante-dix, la région Rhône-Alpes est couverte par une PQR qui a un corps et deux têtes. *Le Progrès* se situe à son apogée entre 440 000 et 460 000 numéros, et *Le Dauphiné* à 360 000. Les deux titres sont prospères. Fin du premier tableau de famille. Jean Brémond succède à son père. Louis Richerot est promu officier de la Légion d'honneur. Hélas, le deuxième tableau se prépare dans le dédale capitalistique du *Progrès*. Léon Delaroche avait deux filles : l'une épousa Emile Brémond, l'autre Jean Lignel. Ce dernier, ingénieur de l'aéronautique, ne disputa jamais à son beau-frère le pilotage du *Progrès*. Il ne va pas en aller de même avec leurs enfants : Jean Brémond, président en 1970, et Jean-Charles Lignel, secrétaire général du journal. Ils auraient du s'entendre ; ils ont décidé de s'éliminer. Jusqu'en 1979, chicanes et procès se succèdent entre les deux familles. Pour aboutir à la mise aux enchères privées des deux moitiés de la société Delaroche, propriétaire du journal. Celui qui achètera la part de l'autre sera le patron.

12 mars 1979, deuxième jour des enchères. "87,5 millions", dit Madame Brémond mère. "90", lance Jean-Charles Lignel. Nouveau rendez-vous le 19 mars. "95" pour Madame Brémond, "105" pour Lignel, "107,5", "110", "112,5", "115". Lignel ne se le fait pas dire trois fois : *Le Progrès* lui appartient. Il veut en faire le *Washington Post*. Il a 36 ans, il est séduisant, élégant, riche. En conséquence, rien ne peut, rien ne doit l'empêcher de donner à la presse régionale ce nouveau "look" de patron à l'américaine dont, pense-t-il, elle a tant besoin. Rien, et surtout pas ces accords de 1966 avec *Le Dauphiné libéré* qui sont d'autant plus une entrave à son "indépendance" que les Brémond, sortis de la société Delaroche propriétaire du titre, sont restés dans les sociétés communes de service !

Avec Jean Gallois comme directeur général, *Le Dauphiné* n'est pas resté inactif tandis que les cousins se chamaillaient. Il a notamment lancé sur

Lyon le quotidien *Rhône-Alpes* auquel Henri Amouroux et une équipe venue de *France-Soir* avec Jean Sonkin ont donné le ton original d'un journal national à vocation locale. Puis il a noué autour de la SERP, chargée à l'origine des journaux du dimanche, une série de participations très diversifiées : voyages, publicité, audiovisuel... Jean-Charles Lignel lance son pavé dans ce formidable imbroglio de sociétés, comme Obélix son menhir sur les Romains : il ne veut plus de cette association contre-nature. Un juge arbitre décide de prononcer la résiliation des accords de 1966 à compter du 1er janvier 1980, et condamne *Le Progrès* à payer une indemnité de 7 200 000 francs au *Dauphiné* pour cette rupture. «C'est le prix de mon indépendance», plastronne Jean-Charles Lignel. En 1980, *Le Progrès* tombe à 380 000 numéros.

Pour le tableau final, il faut un *"deus ex machina"* qui dénoue tous les fils embrouillés. Robert Hersant connaît bien le rôle. Mais, en personnage de Molière - mi-Orgon, mi-Scapin ? -, Louis Richerot n'est pas mal non plus. En 1980, après la dénonciation des accords, la santé du *Dauphiné* a alerté les banques. Louis Richerot a dû suivre leurs conseils en confiant à Jean Gallois le soin de redresser la barre d'une entreprise plombée par le magnifique centre d'impression - un de plus - que le "président Richerot" a édifié à Veurey, la commune dont il est maire. Aux côtés de Jean Gallois, un homme qui s'est révélé comme l'initiateur de la première chaîne de gratuits : Paul Dini. Gallois et Dini s'appliquent à écoper le navire qui fait eau, sans trop ébranler la statue du "président" qu'un autre Président - VGE - vient d'élever au rang de grand officier de la Légion d'honneur. Jean Gallois meurt. Le face à face Richerot-Dini conduit droit au "Monopoly". Pour faire court, disons qu'en deux ans, d'avril 1981 à avril 1983, Richerot vend d'abord à Marcel Fournier - Carrefour avait quelques années d'avance sur Cora-Révillon -, puis paraît favoriser une solution favorable à Paul Dini et, dans une ultime volte-face, s'allie avec Robert Hersant (qui avait une promesse de Fournier) puisque le "jeunot" - Dini a alors 47 ans - lui a manqué d'égards au point de fermer le bureau parisien où Madame Richerot (Line Reix) est éditorialiste. Quelques mois plus tôt, le "président" avait juré de "balancer par la fenêtre" Robert Hersant. Il lui permet d'entrer par la grande porte au moment (1983) où la gauche au pouvoir a juré de faire toucher les épaules au papivore et spécialement préparé une loi pour limiter sa fringale. Le gouvernement et l'Assemblée aboient, Hersant passe. Toujours "en avance d'une loi".

Il demeure un autre porche à franchir, pas très loin, à Lyon, où Jean-Charles Lignel doit supporter les nouvelles contraintes et les indemnités qui découlent de la rupture des accords avec *Le Dauphiné libéré*.

«Ce n'est plus le *Washington Post,* mais le Waterloo Post», constate un journaliste, lorsqu'en mars 1985 la direction du quotidien fait rempart de son corps pour empêcher l'huissier, dûment assisté des CRS, de saisir les rotatives de Chassieu. Chacun comprend que Jean-Charles Lignel a déclenché sa propre strangulation financière. Le SAMU du groupe Hersant attend l'appel pour porter aide et assistance.

Début 1986, Jean-Charles Lignel met fin au pluralisme en Rhône-Alpes et surtout à la grande histoire du *Progrès* en cédant la grande dame de la presse française au patron de la Socpresse, qui confirme qu'il réussit au nez et à la barbe du pouvoir.

Jean Brémond et Jean-Charles Lignel sont entrés désormais dans l'anonymat. Louis Richerot a succombé à une crise cardiaque en août 1989, à l'âge de 90 ans. *Le Progrès* et *Le Dauphiné libéré* se débattent autour de 300 000 exemplaires.

Xavier Ellie, l'efficacité élégante, et Denis Huertas, un pur de la famille Hersant, se consacrent à Lyon et Grenoble, à une tâche passionnante de remise à flot. Forts des tourments et des humeurs engendrés dans la capitale des Gaules par le "monopole Hersant", *Libération* et *Le Monde* ont créé leur édition lyonnaise et vérifié que la presse régionale n'est pas chose facile. De son côté, Xavier Ellie a réglé le problème de la Saône-et-Loire en élaborant avec François Prétet, P-DG du *Courrier,* une structure commune qui édite *Le Journal de Saône-et-Loire.*

L'ensemble constitue, de Chalon à Avignon, un beau morceau de l'empire PQR de la Socpresse sur lequel le soleil se couche difficilement. En regardant la carte de France, on se prend à penser que Robert Hersant a dû apprécier une des formules lapidaires sorties de la lippe gourmande de Richerot : «On les a bien eus.»

Les mousquetaires

Les grands "clans", jusqu'au sens écossais du terme, dont l'ombre tutélaire s'est progressivement étendue sur la PQR, sont aux couleurs d'Hersant ou d'Hachette. Rien ne dit que le "jeu" soit fermé. Au contraire, quelques mousquetaires ferraillent pour en troubler les règles. Au duel moucheté mené pour l'indépendance, le pluralisme et la défense d'une éthique, quatre - évidemment...- s'illustrent avec ardeur : Aramis-*Ouest-France,* cela va de soi ; Athos-Editions Amaury pour le sérieux ;

d'Artagnan-*Voix du Nord* pour le brio dans plusieurs duels à la fois. Je n'ai aucune raison, enfin, de comparer le groupe *Sud-Ouest* à Porthos. J'aurais plutôt hésité entre d'Artagnan et Athos. Outre que cela aurait paru suspect, il y aurait eu faute d'élégance et Porthos a beaucoup regretté la sienne. De toute manière, le groupe *Sud-Ouest* étant l'objet de l'étude de "cas", passage obligé de cette collection, on s'épargnera les risques de "doublon".

Les "quatre" possèdent en commun un souci de l'équilibre de leur poids et de leur influence. L'entreprise de presse demeure avant tout œuvre charnelle et spirituelle. Selon le beau mot de François-Régis Hutin : «Le journal n'est pas une fin en soi ; il est au service de l'homme.» Une éthique très rigoureuse accompagne une dynamique d'ouverture et d'intelligence du lendemain. Ces mousquetaires ne sont pas les seuls à emprunter cette voie dans la PQR, mais chacun à sa manière, ils ont contribué à l'ouvrir.

Ouest-France : *comment être le premier ?*

Sans doute, sur cette route, *Ouest-France* a-t-il souvent allumé des bûchers pour hérétisme. Il existe encore ici et là quelques piloris où se trouvent clouées la télématique ou autres orientations gouvernementales. Ce sont les flammes de la rigueur. Et comment ne pas se sentir investi d'un devoir absolu lorsqu'on est le plus grand et le plus fort ? *Ouest-France* n'est-il pas le "frère aîné" de la presse française ?

Prenons quelques exemples de titres parus soit dans des quotidiens, soit dans des publications spécialisées. La terminologie frappe. "*Ouest-France,* le géant de province" ; "Une institution en mouvement" ; "Comment devenir le premier" ; "*Ouest-France* le mammouth serein" ; "*Ouest-France,* l'Empire contre-attaque". On en oublie et sans doute pas des meilleurs. Ils ne figurent là que pour illustrer une manie constante de la réflexion parisienne sur la communication. Vue de la tour Eiffel, la presse de province commence tout juste à sortir du sommaire de l'œuvre imaginaire de Balzac ou de Mauriac. Elle est généralement discrète ; on la croit secrète. Elle est normalement prudente ; on la dit frileuse. Elle vit dans le respect des hommes et des femmes qui l'entourent ; on l'accuse de pudibonderie. Elle a horreur de battre tambour et ne court pas les estrades parisiennes ; on la pense cachottière.

A la tête des quotidiens français, loin devant *Le Monde* et *Le Figaro,* le quotidien breton doit apparaître aux Parisiens comme l'archétype idéal de cette fausse pudeur. Il n'est nullement certain qu'il n'y prenne pas un plaisir narquois, comme l'une de ces jouissances discrètes qui illuminent parfois l'œil de François-Régis Hutin. Ses fines lunettes semblent alors porter des verres cathédrale, couleurs douces mais puissantes.

Comment devenir le premier ? La question est posée. On est trop professionnel à *Ouest-France* pour y répondre en "dix leçons". On croit à la réussite de quelques idées-forces : une éthique servie par une politique commerciale constamment en éveil, un culte du lecteur considéré comme partie intégrante de l'entreprise.

Le 25 avril 1989, fêtant 765 165 exemplaires diffusés chaque jour, qui classent *Ouest-France* premier national en France mais aussi premier régional d'Europe (*Télégraaf* aux Pays-Bas 700 000 ; *Corriere della Sera* 675 000 ; *Westdeutsche Allgemeine* 660 000), François-Régis Hutin insista sur sa conception du journal : « La communication, mot essentiel qui, décliné, forme un objectif et même un idéal : communauté, communion, c'est-à-dire le passage de l'individu atomisé, isolé, à la personne reliée aux autres personnes dans le respect mutuel. A notre place, nous nous efforçons d'être lieu d'échanges et de confrontations, c'est-à-dire de dialogue, refusant donc à la fois la partialité et l'indifférence. »

Pour sa foi en l'homme, conforme à sa tradition démocrate et chrétienne, *Ouest-France* a armé bien des croisades : contre la peine de mort, l'oubli de la misère et de la mort dans le tiers-monde ; pour l'école privée, la défense active de "Solidarnosc" et le soutien au peuple polonais... François-Régis Hutin sait, chaque fois, monter en "une" avec la vigueur d'un Savonarole. La morale reçoit, alors, le renfort du cœur.

En cela, le journal se trouve en osmose culturelle avec la Bretagne, qui s'est considérée comme la mal-aimée de la France. *Ouest-France* a été - et demeure - son preux chevalier toujours prompt à rompre des lances contre l'injustice économique ou politique. Cela suppose une écoute totale de tous les Bretons. « A *Ouest-France,* on n'a jamais douté de l'écrit, se souvient Henri de Grandmaison, qui fut un des responsables de la rédaction, et nous vivions une vraie religion de la petite locale. »

Ce grand écart réussi, entre une identité de microlocale et une présence de leader européen, offre un début de réponse à la question : « Comment devenir le premier ? » Dans dix ans, le 2 août 1999, *Ouest-France* fêtera le centenaire de son ancêtre *Ouest-Eclair,* fondé par Emmanuel Desgrées du Lou et l'abbé Trochu. Les mêmes valeurs fondamentales auront traversé un siècle à travers une entreprise dont le capital assez bien tenu par François-Régis Hutin et sa famille garantit l'indépendance par des clauses sévères de nature à décourager les convoitises.

Quiconque connaît l'état-major d'*Ouest-France* sait quelle importance il accorde aux ratios de production, à l'animation commerciale, à la recherche technologique, aux coûts les plus serrés possible pour maintenir un prix de vente modéré. «L'amélioration la plus spectaculaire du contenu resterait sans effet si elle n'était pas mise en valeur par une impression de qualité et si elle ne bénéficiait pas d'une distribution très régulière et très matinale», rappelle Roger Lavialle tout en expliquant que cela nécessite une concertation permanente entre tous les services. A *Ouest-France,* un Comité de développement est le creuset où se forge cette volonté commune d'entreprendre et de réussir. Il se réunit une fois par mois, et se compose de représentants permanents de la direction générale, de la rédaction, de la technique, de la vente, de la publicité, des études et du marketing.

Il examine tous les plans de développement à court et à moyen terme. Il approuve les campagnes de promotion et analyse les résultats obtenus. En étant le premier à se décentraliser à Chantepie en 1970, *Ouest-France* s'est aussi donné les moyens de ses ambitions. Le centre d'impression s'enrichit actuellement de nouveaux groupes de rotatives, qui doivent permettre de continuer une politique de bonne souplesse technique prête à s'adapter aux exigences commerciales. Comme la paix sociale y est rarement mise en cause, le journal est fidèle au rendez-vous donné par ses trente-huit éditions dans douze départements.

La synergie entre services assurant dans une agressivité commerciale de bon aloi la régularité dans le service rendu aux lecteurs et aux annonceurs, voilà peut-être une autre raison d'être "premier".

Ouest-France n'a pas peur de "vendre". Sauf son âme évidemment, puisque le journal refuse la publicité politique qu'il est l'un des derniers - sinon le dernier - à considérer comme contraire à l'éthique professionnelle. Il se vend au prix le plus bas de France à ses lecteurs (3,40 francs), assumant ainsi son devoir au service du "pluralisme et de la démocratie", et le plus cher possible aux annonceurs. Le marché publicitaire, orchestration bien réglée en harmonie avec Jean-Claude Cellard, venu comme directeur régional d'Havas et resté au pupitre, a conduit *Ouest-France* à rapidement s'organiser sur le marché régional et dans le domaine des gratuits. Une filiale, Precom, a repris la régie et le personnel d'Havas pour la publicité. Quant aux gratuits (*Le Carillon,* deuxième groupe français), ils continuent à essaimer à travers la France parfois bien loin de la zone bretonne, allant jusqu'à encercler Paris.

On a souvent prêté à *Ouest-France* - qui diffuse 15 000 exemplaires dans la capitale - le projet d'une édition parisienne qui couronnerait sa royauté nationale. «C'est une idée, plus qu'un projet», a répondu

François-Régis Hutin. Un dernier argument pour expliquer cette primauté : la concurrence. *Ouest-France* est maître chez lui, seulement en Ille-et-Vilaine, en Mayenne et dans l'Orne. Dans les dix autres départements de sa zone, il est en compétition sérieuse avec un confrère. S'il distance nettement ses concurrents dans trois départements (Côtes-du-Nord, Morbihan et Vendée), il s'incline devant le redoutable *Télégramme de Brest* dans le Finistère, et *Le Courrier de l'Ouest* en Maine-et-Loire, *Le Maine Libre* en Sarthe, et peine devant *Presse Océan* en Loire-Atlantique ou *La Presse de la Manche* dans le réduit de Cherbourg. Au plein ouest, il se frotte au groupe Hersant.

Ouest-France est le seul quotidien régional à évoluer dans un environnement de très forte concurrence quantitative et qualitative. Cela se traduit par des taux de lecture records. Dans le Finistère, deux foyers sur trois lisent *Le Télégramme* ou *Ouest-France*. 77 % en pénétration pour une moyenne nationale de 38,6 % !

Une ultime réponse ? François-Régis Hutin la suggère en soulignant combien les 1 800 salariés savent qu'ils travaillent "pour une entreprise qui n'est pas d'abord une affaire mais un journal libre, c'est-à-dire un service".

La liberté au service des hommes. *Ouest-France* ne détient pas l'exclusivité de cette morale, même si le premier quotidien de France se sent investi, à ce titre, de quelques devoirs. Au risque d'irriter ; au plaisir d'avoir raison. Mais pourquoi la PQR n'écouterait-elle pas avec attention tous ceux qui, au fil des ans, ont su rassembler le plus grand nombre de fidèles ? Louis Estrangin dont la droiture et l'intelligence assurèrent la continuité ; Roger Lavialle venu comme lui de la "Bonne Presse" pour donner tous les élans d'un passionnant pionnier du "management", Eugène Brûlé, belle et généreuse conscience du journalisme, Michel Corbineau, Charles de Fréminville, Philippe Amyot d'Inville, tant d'autres... Avec François-Régis Hutin, ils sont acteurs et témoins, lucides et passionnés, d'une réussite fondée sur des valeurs fondamentales. A méditer.

Editions Amaury : régional et national

Quels points communs peut-on imaginer entre une force de la nature, un fonceur, un bâtisseur d'empire et un jeune diplômé d'études supérieures de droit public et de sciences politiques, en train de rédiger sa thèse de doctorat sur "les deux premières expériences d'un ministère de l'Information en France" ? Aucun ? Sauf si...

Emilien Amaury est le patron d'un puissant groupe de presse dont les fleurons sont *L'Equipe, Le Parisien libéré, Marie-France*. Le juriste qui boucle la huit cent soixante-seizième page de son mémoire sur le ministre

Jean Giraudoux est son fils, Philippe. Il est sans doute difficile d'imaginer personnages plus différents. Aux "coups de gueule" que l'histoire prête à Emilien Amaury ont succédé un langage ciselé par la courtoisie, un regard timide et doux protégé par d'épaisses lunettes, un manager discret mais fondamentalement influent.

Philippe Amaury assume pleinement ce que son père Emilien a voulu en 1975 : appartenir non plus à la presse parisienne, mais à la famille provinciale. Emilien Amaury avait souhaité briser le monopole du syndicat CGT du Livre en s'affiliant au SPQR, dont les conventions sociales étaient moins ubuesques que celles en vigueur à Paris (monopole de l'embauche notamment). 1975-1976 furent pour *Le Parisien libéré* des années de "guerre". La plus longue bataille menée contre le syndicat du Livre parisien vit l'utilisation de toutes les armes de l'engagement quasi-guerrier dans un conflit social : convois de distribution arrêtés, journaux jetés, bagarres, hommes de main, commandos... Les deux combattants épuisés venaient à peine de songer à panser leurs blessures (*Le Parisien libéré* est passé de 780 000 exemplaires à 310 000) qu'un nouveau drame surgit : le 2 janvier 1977, Emilien Amaury se tue à cheval.

A la bataille rangée PL-CGT du Livre va succéder une guerre de position, autour de la succession, entre Philippe et Francine Amaury, le frère et la sœur. Claude Bellanger, autre figure historique du groupe, s'efforcera, jusqu'à la mort, de trouver les apaisements nécessaires comme il l'avait fait dans la phase précédente.

L'affaire est réglée, en 1983, où les magazines vont à Francine Amaury et où Philippe devient propriétaire d'un groupe dont le navire amiral, *Le Parisien libéré*, n'est plus le grand rival de *France-Soir*. Il a perdu la moitié de ses lecteurs et son image de marque est pleine de vilaines rides. Les éditions régionales ont dû être abandonnées et à tous les échelons alternent lassitude ou amertume. Or, en 1985 - beau retournement de situation - la holding "Editions Amaury" s'installe à la cinquième place des groupes français. Tranquillement, professionnellement, sans "tuer". Que s'est-il passé ?

« *Le Parisien libéré,* tel qu'il est, vous plaît-il ? » demanda un jour notre confrère *Presse Actualité* à Philippe Amaury. « *Le Parisien libéré* poursuit, dans la ligne des efforts entrepris par mon père, il y a une quinzaine d'années, sa vocation de quotidien de l'Ile-de-France. Or, le style d'un quotidien régional diffère du style d'un quotidien national. *Le Parisien* s'apparente aux caractéristiques des grands journaux régionaux, qui manifestent une certaine retenue. Lui serait-il possible d'être à la fois un grand régional et un grand national ? Ma réponse n'est pas définitive, mais j'ai tendance à penser qu'il y aurait divorce et que l'on ne peut marier les deux. »

Réponse en 1989: *Le Parisien* a quitté les rives vaseuses de ses 300 000 pour reprendre le cap des 400 000. Il se bat avec de l'info locale dans l'Oise, la Seine-et-Marne, l'Essonne, les Yvelines, le Val-d'Oise. Une solide équipe partage les ambitions de Philippe Amaury: M. Desprez, A. Ferras, J. Poncharal, C. Veyrin-Forrer. Tous ceux-là vont user du "Bingo", c'est vrai, mais avant tout faire évoluer *Le Parisien* - "le journal des concierges", disait-on - vers un véritable journal d'information de bonne qualité populaire. La nouvelle maquette, la quadrichromie, ont surtout accompagné un enrichissement du contenu par l'arrivée de grandes signatures comme Michèle Cotta ou Philippe Alexandre. A la recherche d'un public parisien et banlieusard, on y travaille dans l'article dense mais court.

Quels que soient les encouragements que *Le Parisien* reçoit en mettant en place sa politique rédactionnelle et commerciale, la région parisienne ne retrouve pas ses tirages historiques. Et comme la nature a horreur du vide ou du semi-vide, les projets de quotidiens survolent la capitale plus souvent que le baron Noir. *Paris-Hebdo* de Jean-Louis Servan-Schreiber, *Grand Paris* de Paul Dini. Souvenirs, souvenirs. Plus sérieuse a été l'offensive que *Le Parisien* a dû subir lorsque *France-Soir* a lancé son opération commando sur Paris Ouest.

Une déclaration parfaitement désagréable de Philippe Villin, nouveau Napoléon de l'empire Hersant, a donné le ton. *France-Soir* (normalement en kiosque en semaine) a inventé de se distribuer gratuitement avec un supplément local, tous les samedis. L'opération commencée dans les Yvelines gagne du terrain en direction de Versailles. *Le Parisien* reste nettement le leader "régional". En 1989 tout l'état-major a montré qu'il se mobilisait autour de la presse écrite, abandonnant au premier centre serveur national SEGIN, à Lille, le soin de poursuivre l'aventure de la télématique dont *Le Parisien libéré* fut glorieux pionnier, tandis qu'il réduisait ses ambitions dans M6. L'objectif paraît clair: retrouver les 700 000 exemplaires, c'est-à-dire prendre le sillage d'*Ouest-France* pour faire la course en tête avec lui. Le groupe en a les moyens: Philippe Amaury dispose de la majorité du capital (64,7 %), l'autre gros morceau (32,6 %) étant chez Hachette par FEP.

A ceux qui s'interrogent sur les raisons de ce partenariat ou sa finalité, Philippe Amaury répond: «Dans l'esprit et compte tenu des rapports de confiance établis entre les personnes, l'entrée d'Hachette constitue davantage un accord contractuel qu'une prise de participation à hauteur de tant ou tant dans le capital. L'accord prévoit en effet que je puisse à terme racheter à Hachette environ 10 % de sa part, Hachette acceptant ainsi de descendre à 25 %, c'est-à-dire au-dessous de la minorité de blocage dans une société

anonyme. L'accord est donc un accord de dialogue, de bonne foi, d'association à la gestion et aux choix stratégiques.» Fin 1989, la coopération
confraternelle est illustrée concrètement par l'impression d'une formule du
Parisien encore repensée en format berlinois dans la nouvelle imprimerie
du *Monde,* à Ivry, dont Hachette détient 34 %.

Dialogue, bonne foi, comment ne pas en trouver une autre illustration à
Angers où *Le Parisien* a réussi une heureuse participation avec *Le
Courrier de l'Ouest,* qui est - avec Robert Guillier et aujourd'hui Jean-
Marie Desgrées du Lou - un des bons journaux qui savent préparer leur
avenir. Quant au proche cousin *Maine Libre,* il se bat vigoureusement
contre *Ouest-France.*

Mais c'est évidemment en région parisienne que se déroule la bataille
décisive. Une nouvelle formule du *Parisien* parue en octobre 1989,
appuyée sur un marketing intense, espère être l'arme absolue.

La Voix du Nord : *roue à aubes et...* Courrier Picard

Il faut d'abord comprendre le Nord, dur au travail, noir aux crassiers,
gris au ciel, chaud au cœur. Une population fortement concentrée et très
liée par les mêmes éléments d'identité socioculturelle. Il faut aussi savoir
que la Résistance fit naître, là comme ailleurs, une foisonnante presse libre
mais que là, contrairement à ailleurs, ces journaux vécurent indépendants
pendant plus de vingt ans avec des diffusions non négligeables. Le Nord
est terre de lecture.

Seule, la très catholique *Croix du Nord* a disparu en 1968. *Nord Matin*
(remis par le PS au "sauveur" Hersant en 1967) et *Nord-Eclair,* conduit par
un nom respecté du journalisme, Jules Clauwaert, ont trouvé en 1971 des
accords de survie par échange de pages et couplage publicitaire. *La Liberté*
maintient un des derniers flambeaux de la presse communiste en région.
Quarante-cinq ans après, l'ensemble entretient un certain pluralisme dans
une région que *La Voix du Nord* a investie avec près de 400 000 exemplaires, 100 000 de plus que lorsqu'elle édita son premier journal libre avec
le numéro... 66, symbole de ses tirages dans la clandestinité.

Pourtant, *La Voix* a reçu toutes les fragilités d'une naissance résistante : un
capital de 3 millions de francs répartis en 60 000 actions, parmi quelque
2 000 porteurs et, dès le départ, un long procès intenté par des résistants qui
s'estiment lésés. De société en commandite par actions à société anonyme
avec conseil de surveillance et directoire, *La Voix* vit sa croissance avec un

capital qu'elle sait plein de rhumatismes. Mais, dirigée par René Decock et Jules Talpaert elle reçoit chaque jour la légitimité de 300 puis 350, puis 380 000 fidèles. Le capital est peut-être fragile ; le lectorat est solide.

Sur cet "humus" de qualité, un jeune journaliste, Jean-Louis Prévost, va pouvoir appliquer, avec René Decock - figure de proue de la Résistance et responsable historique du journal -, une volonté lucide et pugnace. Le socle du futur groupe est coulé en 1983, à la Pilaterie, à quelques kilomètres du centre de Lille. Le nouveau centre d'impression, avec ses trois nouvelles rotatives Colorman, a coûté 250 millions. Indispensable prix à payer pour améliorer sans cesse les 29 éditions qui, à elles seules, représentent les trois cinquièmes de la diffusion presse écrite dans le Nord.

L'outil sera utilisé, tout en améliorant le corps du journal, pour développer une véritable politique de suppléments. Gérard Minart, rédacteur en chef et pilier de la rédaction, a demandé à tous les services de faire preuve de créativité. La multiplication des produits favorise la pénétration et la fidélisation du lectorat. Elle permet aussi, en vivant pleinement la région, d'être l'un de ceux qui se battent pour sortir le Nord de ses crassiers. Les alliances, les compagnonnages de bon aloi seront donc naturels lorsque se mettra en route ce que Jean-Louis Prévost a appelé le "système de la roue à aubes". Car si la première ligne stratégique a permis à *La Voix du Nord* de conforter sa position dans un environnement qu'elle sait concurrentiel et pimenté par l'ogre Hersant, la seconde sera tout aussi claire : devenir un groupe de communication.

« La monoactivité donne une certaine fragilité, déclare Jean-Louis Prévost, et le monde de l'information pousse au monde de la communication. Il y a eu une éclosion de nouveaux supports et il a fallu raisonner en termes de famille de supports, avec deux champs d'exploration : l'écrit et les nouveaux médias. »

Pour l'écrit, les choses sont en ordre. 1987 est une grande année avec l'entrée dans la "roue à aubes" de *Nord Littoral* (8 à 10 000 exemplaires à Calais), mais surtout l'opération *Courrier Picard* que *La Voix du Nord* considère comme indispensable à l'établissement "d'un seuil national clairement identifiable au nord de Paris". En clair, tracer une frontière à Robert Hersant, alors que le *Courrier* présente un état d'anarchie qui conduit droit aux sauveurs providentiels.

* * *

Savaient-ils qu'ils créaient quelque chose d'ingérable, ces héros de la Résistance qui, le 13 octobre 1944, autour de Maurice Catelas, décident de former une société coopérative de production ouvrière pour faire paraître le nouveau *Courrier Picard* ? Les jeux d'influence syndicale, les corporatismes divers, les amitiés et les haines ne cesseront, au fil des ans, de dégrader une idée au départ généreuse. Si bien que lorsqu'en 1978 Bernard Roux arrive à la direction du *Courrier* à la demande de son président, le cégétiste Ivan Joly, *Libération* n'hésite pas à titrer "Bernard Roux, le Tapie du *Courrier Picard"*. Il est bien vrai que, dès lors, le journal change de planète et se prend à rêver, alors qu'il a les deux pieds pris dans d'énormes difficultés structurelles mais aussi conjoncturelles avec la facture de sa mutation technique. «J'ai apporté la révolution culturelle permanente», se réjouit l'énarque B. Roux dont le regard semble souvent visiter un au-delà qui n'appartient qu'à lui.

Le Courrier a engagé, en 1977, une certaine mise à plat des avantages catégoriels qui faisaient de ses employés les salariés les plus heureux de France. Le conseil d'administration, composé par les diverses catégories de personnel, décidait chaque année de la répartition des bénéfices : un peu pour l'investissement, beaucoup pour les salaires. Des mesures drastiques nécessitent des réductions de salaires jusqu'à 20 % !

B. Roux prend des initiatives tous azimuts : passage au format tabloïd début 1979 - une audace rare en PQR -, avec la mise en route de la nouvelle roto offset et après un "examen de conscience" du journal effectué pour le CPJ par des duettistes compétents, Alain Ganassi et Denis Polf. En 1984, la fête des 40 ans est marquée par une nouvelle formule rédactionnelle. Journalistiquement, *Le Courrier* se prend à revivre tandis que Bernard Roux explore en pionnier les voix de la télématique (il double ainsi son système informatique de fabrication), crée une société d'ingénierie, une régie publicitaire avec Havas et... la première radio locale à statut coopératif. C'est la "fierté retrouvée" et, peu après, de nouveau le doute. Une convalescence ne débouche pas toujours sur une guérison. On s'inquiète au *Courrier,* on dit que ça va mieux. Les vieux démons ressortent vite des boîtes mal fermées. B. Roux esquisse une fausse sortie vers *Le Monde* et, peu après, en 1985, quitte la scène régionale sur laquelle il a su jouer bien des rôles avec un art consommé de la dissertation. Au *Courrier,* quelques portes claquent, mais certaines restent ouvertes ; surtout aux convoitises. Aux interviews souvent triomphantes de Bernard Roux, vont succéder des communiqués brefs qui font état de diverses hypothèses. Hersant ? Le Crédit Mutuel ? Non, *La Voix du Nord* et le Crédit Agricole.

Avec la Caisse régionale du Nord, les Assurances mutuelles agricoles, *La Voix du Nord* a créé une SA "Norpicom", qui entre à 49 % dans *Le Courrier* en 1987, ramenés à 46 % l'année suivante. Pour Jean-Louis Prévost, cette arrivée "s'est traduite par des échanges d'hommes, de technique et des opérations couplées de publicité". Avec 80 000 exemplaires diffusés en Picardie, mais aussi dans l'Oise, le quotidien d'Amiens installe aussi les postes avancés de la famille nordiste sur le front d'Hersant. Opération réussie mais à suivre, car *Le Courrier* conserve tous les attributs de son indépendance, y compris l'habitude de changer souvent de président ou de directeur.

* * *

La roue à aubes de *La Voix du Nord* continue. L'assise écrite régionale est confortée par quelques hebdos : *L'Indicateur des Flandres ;* une participation minoritaire dans *L'Avenir du Pas-de-Calais* (Béthune) et dans le trihebdomadaire *L'Aisne Nouvelle,* récemment disputé à Philippe Hersant.

Un appétit vorace ? Non, assure Jean-Louis Prévost : «Nous essayons de nous développer non pas de façon offensive et blessante, mais en trouvant des points d'accroche sur des activités nouvelles... Il existe une solidarité de fait grâce à des occupations communes. Il n'y a pas vraiment de concurrence, mais un enrichissement de la communauté.» La force de *La Voix* est d'avoir fait admettre autour d'elle que la communauté pouvait être élargie à tous les acteurs dont la compétence et la volonté contribuaient potentiellement à la création d'activités nouvelles. La carte de la diversification est là pour le prouver.

Dans la jungle touffue des médias déjà anciens mais nouveaux pour la PQR, Jean-Louis Prévost a initié un mouvement de fond qui a amené une bonne partie des groupes ou titres au seuil de la télévision, ce "monstre" qui fascine et qui tue. Un accord entre TF1 et une dizaine d'entreprises de presse profite aux deux parties : TF1 a acquis une couverture du terrain inégalable et la PQR a fait ses premières armes comme "reporter TV régional". *La Voix du Nord* s'est dotée des moyens de progresser dans la production d'images. NEP-TV, par exemple, est une société de production qui rassemble dans son capital des partenaires financiers comme la Caisse des dépôts, la grande consommation avec Auchan et qui fédère, outre ses associés, un certain nombre de confrères : la presse luxembourgeoise, *Le Courrier de l'Escaut, Le Républicain lorrain.*

L'ambition veut pousser les limites du marché vers le Nord, notamment la Belgique et l'Est. Quelques regards sont même passés de l'autre côté de la Manche. D'autres sociétés animent une agence de presse audiovisuelle, huit émetteurs radio. Nortel, centre serveur monté avec SINORG (Caisse des dépôts), tourne avec convivialité. On ne peut avoir la prétention de citer toutes les initiatives de Jean-Louis Prévost : entre la rédaction et la publication de ce livre, Dieu sait combien il en aura pris de nouvelles tout en jouant avec ses Ray-ban. Arrêtons : une société à 50/50 avec Havas pour gérer plus de 2 millions de gratuits et une filiale, moitié avec OTPAR, pour un réseau de 1 000 panneaux d'affichage en milieu rural.

En conclusion, un seul chiffre à retenir : en 1988, le groupe est entré dans le club fermé des milliardaires de la PQR (consolidé 1,1 milliard de francs). Est-ce ce chiffre symbolique ? Est-ce le sentiment d'une réussite accomplie ? L'histoire soudain se mit à bégayer. Quarante ans après, le capital n'arrivait pas à se débarrasser de ses rhumatismes de formation.

Première alerte en mars 1989. Un commerçant lillois, M. Bels, propose à divers actionnaires un rachat à 1 000 francs la part. L'opération fait long feu. René Decock et Jean-Louis Prévost sont prévenus et peuvent se préparer. Le 5 juin 1989, un autre commerçant lillois, M. Maniglier, trouvant les dividendes versés ridicules et l'estimation de l'action (350 à 400 francs) anormalement basse, propose aux petits actionnaires une offre de reprise à 2 500 francs. A ce prix, la menace devient sérieuse et contraint la direction à une contre-offensive éclair. Le 10 juin, René Decock met en garde tous les porteurs, armée de l'ombre en 1945, ombre d'une vieille armée en 1989 : « Ils veulent acheter *La Voix du Nord,* pour mieux la vendre. Quitte au passage à vendre aussi son indépendance. » Il rappelle comment, depuis plus de quarante ans, le travail de tous a permis de traduire en actes l'idéal de la Résistance.

L'action flambe en quelques jours de 2 500 à 3 700 francs. *La Voix,* finalement, résiste. Elle publie, le 2 juillet, un communiqué qui annonce que "le conseil de surveillance sous la présidence de René Decock et le directoire de *La Voix du Nord* ont décidé de créer une holding financière pour rassembler l'actionnariat et le personnel autour de la direction". "Voix du Nord Investissement", SA au capital de 27 890 000 francs, qui regroupe une trentaine de cadres, entend aussi associer les journalistes à une "reprise de l'entreprise par les salariés" (RES). Cette holding s'est assuré 70 % du capital tandis que M. Maniglier et ses amis contrôlent environ 15 %. Tout n'est peut-être pas complètement réglé, mais le plus fort de la crise est passé.

Ces commerçants agissaient-ils seuls ? Pour valoriser leur bien, ce qu'ils ont obtenu ? Y avait-il des hommes dans l'ombre (Hersant ou X) ou des machinations habiles ? Peu importe. La roue à aubes de *La Voix du Nord* continue de tourner.

Grandes familles et gentilshommes

Les "mousquetaires" sont milliardaires par le chiffre d'affaires, ce qui ne manque pas de panache. De leur côté, les "grandes familles" assument une tradition qui remonte souvent (*La Montagne, La Dépêche* par exemple) aux temps très anciens de la République. Leur devise pourrait être "Tous pour un et un pour tous", puisque chaque titre a fédéré lui aussi un groupe de communication et se trouve à la tête d'une "grande famille".

La Montagne : *la force tranquille*

On a souvent décrit ces grandes maisons, aux volets mi-clos, austères et rassurantes, comme construites autour d'un secret familial. Dans le salon dont les meubles paraissent dessinés en clair-obscur, dans les couloirs qui imposent un pas respectueux du temps, on imagine ces portraits de famille dont les bordures blanches sont marquées par la rougeole des années qui passent.

La Montagne figure parmi ces grandes maisons discrètes avec une belle lignée de portraits. Le quotidien est installé, rue Morel-Ladeuil, à Clermont-Ferrand, dans un ensemble immobilier austère comme un mont d'Auvergne. Le décor intérieur reflète cette vertu ici deux fois provinciale qu'est la simplicité. Le nécessaire ignore le superflu. Ainsi les hommes et les choses ont défini une harmonie très dépouillée, très équilibrée, qui colle aux murs. Aucune place n'y est prévue pour les matamores ; les amis y sont jugés, soupesés et, une fois acceptés, sont certains que leur couvert est toujours prêt. C'est la maison de la malicieuse et discrète amitié.

La personnalité des hommes y revêt une importance capitale puisque toutes les règles ne sont pas obligatoirement écrites. Le premier fut Alexandre Varenne, député socialiste du Puy-de-Dôme, qui fonda *La Montagne* en 1919 et l'orienta clairement à gauche. En 1920, elle prend position contre l'adhésion des partis socialistes à la IIIe Internationale. En 1936, elle soutient le Front populaire. Son tirage atteint 35 000 exemplaires (il y a un journal concurrent à droite, un autre au centre) à la veille de la Deuxième Guerre. Le 22 juin 1940, suspension de la parution aux premiers bruits de bottes allemandes en Auvergne ; le 29 juin, les bruits ayant décru au-delà de la ligne de démarcation, reprise de la parution. Le 27 août 1943, nouvel arrêt (il n'y a plus de ligne de démarcation) et renaissance le 15 septembre 1944. Alexandre Varenne a pris à ses côtés un garçon qu'il a recruté, en 1926, pour s'occuper de ses tournées électorales, Francisque Fabre. Un jeune qui a appris à vivre en vendant de l'huile, en fabriquant du Viandox ou en mettant de la grenadine en bouteilles, et qui a commencé à travailler à 16 ans comme conducteur de tramway. Tout cela a donné une composition mi-sucre, mi-poivre. Francisque Fabre a la belle rudesse d'un hiver auvergnat ; il est tenace, prévoyant, astucieux, rusé. En un mot, il est de son pays. En 1947, lorsqu'il succède à Alexandre Varenne, disparu, il applique à l'entreprise de presse toutes les vertus locales de sérieux, d'obstination, d'économie et d'habileté. L'ancien "watman" va mettre le groupe sur ses rails et devenir, du fond d'un modeste bureau au mobilier un peu vieillot, un des sages redoutés et écoutés de la PQR. A ses côtés, un homme d'une grande finesse, Paul Simons, gestionnaire avisé, complète le fin "politique".

Trois éléments à retenir : d'abord, le style à "l'auvergnate" qui marque l'agrandissement du territoire. En une dizaine d'années, on entrera parmi les cinq premiers groupes régionaux sans soulever de violente polémique ni sonner les trompettes de la renommée. En second, la manière dont le groupe a immédiatement affirmé son identité en tant que tel. Enfin, la poursuite d'une riche tradition de portraits ou de personnages. Les yeux de René Bonjean - le nouveau P-DG - sont noyés d'intelligence et de malice, la pipe est bon enfant et le verbe est clair. Plus magnifiquement auvergnat que lui, tu meurs.

Centre France existe. Vous pouvez le rencontrer en léger sous-titre de tous les journaux du groupe. Au moment même (début des années 80) où le seul mot de "groupe" sentait le soufre, *La Montagne* a su, sans rien perdre de son identité propre, créer et faire vivre la conception d'une entité économiquement homogène. *Centre France* est un remarquable système de communication qui veille quasiment seul sur toute l'Auvergne (Cantal, Puy-de-Dôme, Allier, Haute-Loire), une partie du Limousin (Haute-Vienne, Creuse, Corrèze) ainsi que la Nièvre et le Cher.

Au centre du dispositif : *La Montagne* (252 691 exemplaires diffusés en 1988) ; puis *Le Populaire du Centre* (56 000 exemplaires à Limoges) et *Le Journal du Centre* (37 187 exemplaires à Nevers), venus en 1972 après une expédition malheureuse de Jean-Louis Servan Schreiber en terre régionale. Un accord technique avec Francisque Fabre se termina par le contrôle des deux titres. Le quatrième et dernier vint d'Hersant à une période (1981) où le "papivore" crut devoir prendre quelques précautions face à un pouvoir hostile. Il fit mine de commencer à dépecer son empire en vendant ici, des parties de *Centre Presse,* ailleurs *La Nouvelle République* de Tarbes ou *Le Berry Républicain* à Nevers. Les 37 000 journaux diffusés de ce dernier titre intéressent alors le développement de deux régionaux : *La Nouvelle République du Centre-Ouest* et *La Montagne*. C'est *Centre-France* qui l'emporte pour le *Berry Républicain* ce qui conduira Tours à renforcer son édition pour une compétition toujours favorable aux lecteurs.

Sur le plan économique, le pilotage est serré. Les économies d'échelle sont mises en œuvre chaque fois que la rentabilité l'exige. Le "cœur" fait lui aussi sa cure. Traditionnellement, *La Montagne* travaillait en "commandite" avec ses ouvriers du Livre. Situation paralysante dont René Bonjean trouve l'issue après quelques jours de grève et de dialogue, nécessaires à l'assouplissement du contrat et à la préparation aux nouvelles techniques. Chaque partie se sait sur un terrain miné, mais les rapports sont nourris par l'esprit d'entreprise.

Le groupe vit, sans fausses illusions, avec pragmatisme. Son audience dans les foyers - malgré une diffusion plutôt stagnante - est parmi les plus fortes : de 52,7 à 56,3 contre, par exemple, 39,8 à son voisin *La Dépêche*. Dans une région difficile sur le plan économique, *Centre France* a pris des initiatives innovantes. La plus significative est l'élargissement du journal du dimanche à tous les titres. *Centre France Dimanche*, outre qu'il conforte l'image du groupe en apportant un "plus" aux trois titres qui n'avaient pas d'édition dominicale, élargit son marché et son audience.

La présence aux côtés de René Bonjean de Jean-Pierre Caillard, ancien journaliste lui-même et collaborateur de Robert Fabre (illustre président des radicaux de gauche), a enrichi le dynamisme commercial de l'ensemble. Centre-France Communication partage, 50-50 avec Havas, la politique de développement des services : régie publicitaire, voyage, conseil. Les nouveaux médias sont approchés à "l'auvergnate" : quelques radios associées, une esquisse de télématique avec *Le Berry Républicain,* pas de projet TV commun. Comme jadis, sans doute, le couple politique Alexandre Varenne-Francisque Fabre, puis l'association professionnelle Fabre-Simons, le tandem Bonjean-Caillard a une efficacité conviviale.

Ils n'ignorent pas qu'ils se trouvent au "centre", situation politico-géographique qui permet de voir venir tous azimuts. Au côté de Madame Varenne, toujours majoritaire, une Fondation Alexandre Varenne, présente au capital et apte à en suivre l'évolution, sert de noyau dur. Les caisses de Crédit Agricole du Centre, puis les Galeries Lafayette et, en 1985, la Garantie mutuelle des fonctionnaires ont consolidé le "capitalisme à dominante sociale" voulu par *La Montagne.*

Centre France appartient à la catégorie des architectes de la PQR, dont les orientations peuvent influer sur le style de l'ensemble de la construction. En Auvergne, on bâtit sur des volcans ; mais on assure que ce sont des volcans éteints.

La Dépêche du Midi : *vive la République !*

La République ne peut guère se passer de *La Dépêche*. A moins que ce ne soit le contraire. Les républiques changent, se succèdent à elles-mêmes, font et refont la France. *La Dépêche* aussi, porte-drapeau d'une gauche dont elle suit les pérégrinations en terre garonnaise depuis plus d'un siècle. L'intimité "républicaine" s'est rarement démentie entre Marianne et Bayard (l'adresse de *La Dépêche* jusqu'à son déménagement au Mirail, en 1979). De Maurice Sarraut, hier, à Jean-Michel Baylet aujourd'hui, les chemins du journal et les sentiers de la politique ont vécu comme des parallèles qui se rencontrent souvent. Depuis le 2 novembre 1870, où au lendemain de Sedan, un imprimeur toulousain et ses ouvriers décidèrent de publier les dépêches du gouvernement de Défense nationale, *La Dépêche* fait parfois penser à la Marseillaise de Rude sur l'Arc de Triomphe. Maurice et Albert Sarraut, Jaurès, Clemenceau, Herriot ont, dans ses colonnes, les élans vengeurs d'une IIIᵉ République fraternelle et radicale-socialiste. La droite, déjà, a les dents agacées. *La Dépêche* doit, vers 1926, à J.-B. Chaumeil de ne pas succomber à une de ses offensives financières. Un neveu de Chaumeil travaille déjà dans l'entreprise ; il est jeune, actif, ingénieux et prêt à en découdre. Il s'appelle Jean Baylet. Son oncle lui confie *La Dépêche*. Jusqu'à ce jour de mai 1959 où il trouve la mort sur une route du Tarn-et-Garonne, Jean Baylet va être l'homme du combat politique alternant avec pugnacité les estrades publiques et les tribunes imprimées. La IVᵉ République, à son tour, l'accueillera dans son cercle de famille. A moins que ce ne soit, une nouvelle fois, le contraire et que les bureaux de *La Dépêche* (aujourd'hui fermés) du faubourg Montmartre ou le petit "château" de Valence d'Agen n'aient recueilli plus d'un secret républicain. Ce pouvoir n'est pas toujours sans risques. Le "Roi Jean", comme plus tard son épouse, assume avec un courage obstiné, d'abord son anti-poujadisme, ensuite son anti-gaullisme viscéral. Les lecteurs désertent, les services des ventes s'arrachent les cheveux. On tient. On peut sourire à Paris : même lorsqu'elle a un vague parfum de cassoulet, la démocratie ne doit pas se laisser dévorer.

Telle est la terrible *Dépêche* qui, en 1970, fête ses 100 ans dans le cloître des Célestins à Toulouse. Toute la France politique et médiatique est venue. Et même - c'est pourtant un baron du gaullisme - le Premier ministre de Georges Pompidou, Jacques Chaban-Delmas. Mais, il est radical, "Jacques". Il est voisin d'Aquitaine. Comme beaucoup, il estime et admire une femme de caractère qui a su relever le défi et poursuivre courageusement ce "chantier d'hommes".

Car le chantier est en cours, moins - cette fois - dans les couloirs des ministères que sur le terrain où, à l'Est comme à l'Ouest, les confrères sont du genre remuants. Certes, en 1968, Evelyne-Jean Baylet et Henri Amouroux ont signé un accord de raison, afin de ne plus disperser leurs forces en des luttes stériles. Mais sur les frontières, et en particulier en Lot-et-Garonne, l'armistice ne signifie pas la paix. Lorsque les accords sont tacitement reconduits en 1978, chaque partie a donné un coup de canif : Madame Baylet a racheté *Le Républicain du Marmandais,* un petit hebdo que G.-M. Empociello fait prospérer, et *Sud-Ouest* intégrant *L'Eclair* dans son groupe est revenu, par associé interposé, dans les Hautes-Pyrénées. Après tout, n'est-ce pas un équilibre... radical. L'épisode suivant est plus pittoresque.

Le Petit Bleu de l'Agenais a une qualité essentielle : il tient le "défilé de Roncevaux" entre l'Aquitaine et le Midi-Pyrénées ; ou, si l'on préfère, il est un château qui guette sur la Garonne. Un ancien syndicaliste plein de ressources, Jean-Marie Hellian, y a pris la relève d'une vieille famille d'imprimeurs. Quand l'affaire tourne mal, *Sud-Ouest* connaît son handicap face à *La Dépêche.* En 1972, J.-M. Hellian a conduit la grande grève à *Sud-Ouest,* puis il a dû quitter *La République des Pyrénées* à Pau peu après l'arrivée du groupe bordelais. Sans surprise, *Le Petit Bleu* passe avec armes et bagages (lourds de déficit) à *La Dépêche.* Autre scénario pour *La Nouvelle République* de Tarbes. Hersant possède la majorité de la Société tarbaise qui s'est vu confier l'exploitation du titre par la Société pyrénéenne. Il veut vendre et rencontre les deux prétendants éventuels, Jean-Michel Baylet (c'est vraiment chez lui) et Jean-François Lemoîne (c'est vraiment chez l'autre). Petit ballet Hersant qui conduit le directeur toulousain à enlever haut l'enchère : *La Nouvelle République* reste dans la famille radicale.

Après *Midi-Olympique,* parti puis revenu, *Le Petit Bleu* et *La Nouvelle République* de Tarbes posent les premières pierres du groupe. La consécration aurait pu être, quelques années après, le rachat de *L'Indépendant.* L'histoire en a décidé autrement. La roue tourne aussi. « Ce n'est pas le journal qui s'est éloigné de la politique, c'est plutôt la politique qui s'est éloignée du journal », constate Fernand Cousteaux avec son habituel détachement plein d'humour. Boutade peut-être, mais aussi réalité, car constituer et consolider un groupe exige plus de présence à Toulouse ou en Tarn-et-Garonne, fief électoral de la trilogie père, mère et fils, qu'à Paris où l'on a la mauvaise habitude de ne considérer le "parti radical" que comme une force d'appoint. En Midi-Pyrénées, tout au contraire, on a le sentiment de réellement exister.

Le déménagement vers le Mirail a eu son poids de déchirement et de symbole. Cent ans rue Bayard, avec au centre du hall un précieux escalier à volutes radicales - il tournait tantôt à gauche, tantôt à droite -, des fantômes à petit gilet et moustaches en croc, puis - soudain - le silence. En 1979, l'avenue Jean-Baylet attend la nouvelle *Dépêche.* « Cela nous a coûté près de 150 MF (avec le rachat de Tarbes), explique J.-M. Baylet, dont nous finissons de payer les annuités. Mais nous avons les moyens d'investir encore... Nous allons continuer à nous diversifier, car nous avons pour objectif de figurer parmi les premiers groupes régionaux de communication.»

Dans cette diversification - participation à Sud-Radio, un peu de télématique, société de publicité, gratuits, voyages -, *La Dépêche* connaît les mêmes réussites ou les mêmes difficultés que ses confrères. L'originalité de sa situation en 1989 réside ailleurs : Toulouse est, avec Lyon, un lieu privilégié de lancement de journaux concurrents et le premier exemple de cœxistence avec une TV locale de plein exercice.

La concurrence peut avoir des motivations diverses. Tout d'abord, la région toulousaine a un taux de pénétration de presse écrite parmi le plus bas de France. «On se bat pour ne pas perdre de lecteurs. Depuis 1967, notre diffusion n'a pas progressé», avoue J.-M. Baylet. Il y a donc des lecteurs à révéler, plus tous ceux qui ne cessent de pester, par derrière, contre le "monopole" de la famille Baylet. Pourtant, sortie du Tarn-et-Garonne, où elle est la garde prétorienne de la famille, *La Dépêche* fait des efforts permanents vers "l'ouverture démocratique". "Pas d'hostilité de principe" à l'égard de Dominique Baudis, assure J.-M. Baylet dont l'une des deux sœurs siège dans le conseil municipal aux côtés du maire centriste.

Ce fief, qui a encore de vagues vapeurs de soufre, en a tenté plus d'un. La première grande aventure fut sans doute, durant l'hiver 1982-1983, celle de *Toulouse Matin*. Une équipe et des moyens respectables - que l'on soupçonna d'être financés par la droite en général et le RPR en particulier - tinrent six mois environ. Trop de handicaps : une difficile couverture de l'actualité locale, le service des ventes de *La Dépêche* surveillant la diffusion et la publicité peu soucieuse d'essuyer les plâtres et le courroux du concurrent. A refaire.

Début 1988 : annonce de deux quotidiens. L'hebdo *Courrier Sud* se dit prêt à devenir quotidien. Il n'ira pas beaucoup plus loin que son projet. Par contre *Le Journal de Toulouse* sort le 9 mars. Son directeur, Michel Pradas est un ancien journaliste qui a réussi dans les gratuits. Il en applique les recettes lorsqu'il décide, début 1989, non seulement de distribuer gratuitement le "journal", mais encore de le mettre en place hors circuits de distribution presse, dans les grandes surfaces et chez les commerçants. *La Dépêche* a engagé un procès pour concurrence déloyale.

Rien de déloyal, en revanche avec Télé-Toulouse, la première TV locale lancée peu avant les élections présidentielles, en avril 1988, sous le signe du consensus de Dominique Baudis à *La Dépêche* en passant par la banque Courtois et surtout la Générale des Eaux qui paye le déficit. *La Dépêche* s'est assuré le contrôle de la régie publicitaire et organise des jeux en synergie avec son édition de Toulouse. Ce suivi prudent est peut-être justifié par les difficultés que la télévision rencontre pour atteindre ses objectifs tant en audience qu'en recettes. Mais, comme le rappelle Madame Baylet : « Pour défendre l'écrit, il faut être sur tous les créneaux. »

On ne déstabilise pas cent vingt ans de *Dépêche,* même en faisant courir des rumeurs sur sa "vente" ou ses "conversations" avec Maxwell (pour l'imprimerie), Hersant (pour le choix de son supplément TV) ou Hachette (pour ses rencontres avec Lagardère). Le 10 février 1988, ces rumeurs sont telles que Jean-Michel Baylet signe un long éditorial : "Non *La Dépêche* n'est pas vendue. Non, *La Dépêche* n'est pas à vendre." Le coup d'arrêt est donné le 2 décembre 1989 (anniversaire d'Austerlitz) par la décision de créer une holding qui regroupe le capital familial : 25 % Madame Baylet et 51 % indivis entre les 3 enfants. Objectif : un verrouillage qui écarte les risques d'éclatement. Jean-Michel Baylet, conforté, a immédiatement annoncé 300 millions d'investissements en dix ans et un plan social pour la suppression de 108 emplois. Il espère ne plus avoir à dénoncer de "coup d'Etat permanent".

Midi Libre : L'Indépendant *et l'indépendance*

Voici un groupe relativement récent en tant que tel puisque son "temps fort" - le rachat de *L'Indépendant* de Perpignan - date de 1987 seulement. Mais l'élégance et la volonté de Maurice Bujon avaient, bien avant, installé *Midi Libre* aux premiers rangs de la PQR. Avec Albert Bayet (premier président de la Fédération de la presse) ou bien encore Paul Hutin, Jacques Lemoîne, Pierre Archambault, Pierre-René Wolf, Michel Bavastro, Léon Chadé, Jean Brémond, Jean-Jacques Kielholz entre autres, Maurice Bujon appartient au grand "livre d'heures" de la presse. Pendant plus de dix ans, jusqu'en 1986, la double présidence du Syndicat des quotidiens régionaux et de la Fédération nationale de la presse française a rendu familière et indispensable sa fine silhouette crénelée de blanc.

Montpellier hume d'un côté les fortes humeurs de la Catalogne, ses vignes et ses hommes valeureux mais abrupts puis, de l'autre, les senteurs chantantes de la Provence. *Midi Libre* est ainsi à l'équilibre de la langue d'oc, avec son siège ultramoderne implanté au milieu des terres comme l'est la proche cité d'Aigues-Mortes en souvenir des croisades. La première d'entre elles doit être levée dès le 27 août 1944, où le Mouvement de libération nationale conteste le directeur que l'équipe locale s'est choisi.

Le ministère de l'Information ira jusqu'à ordonner la suspension du journal pendant une douzaine de jours en octobre 1945 - avant qu'un accord répartisse le capital en, grosso modo, trois tiers : journalistes fondateurs (anciens du MLN), socialistes (anciens du MLN) et le MLN. Deuxième tempête au milieu des années 50 : *Midi Libre* doit plaider contre *L'Eclair* dans les locaux duquel il s'est installé et *Le Petit Méridional* dont il utilise aussi une partie des moyens. En 1960, indemnisations et règlements à l'amiable ont apaisé les flots de procédure. Malgré l'adversité, *Midi Libre,* dont Maurice Bujon est devenu P-DG en 1956, a grandi : de 50 000 il est passé à 180 000 exemplaires, presque sa vente actuelle. Il est prêt pour les batailles professionnelles.

A la vigie d'avoir l'œil suffisamment perçant pour surveiller tous azimuts la surface de la mer languedocienne où *Le Provençal* gonfle ses voiles, *L'Indépendant* joue les corsaires et *La Dépêche* rame. Ancrées à quelques encâblures l'une de l'autre, dans cette région Languedoc-Roussillon, Montpellier et Nîmes n'aiment guère naviguer dans les mêmes eaux. Rivalité bien française de deux métropoles moyennes. Or Nîmes lit le journal de Montpellier. On ne peut pas dire qu'elle paraisse en souffrir exagérément, puisque la diffusion annoncée pour les cinq éditions du Gard de *Midi Libre* est de 70 000 exemplaires en 1989. Mais n'anticipons pas sur le déroulement de la bataille autour de la tranchée du Rhône. A vingt ans de distance, on repasse le même film.

Novembre 1956, *Le Provençal* lance *Nîmes-Soir* dans le Gard, quotidien départemental appuyé sur l'un des journaux du groupe, *Le Soir* de Marseille. Dix ans de combats acharnés conduisent les deux combattants à penser qu'ils ont des priorités plus fortes et notamment la mise en œuvre de leur mutation technique. Décembre 1966, les deux directions - Montpellier et Marseille - font aux Nîmois un étrange cadeau de nouvel an : une édition commune aux deux titres *Le Soir-Midi Libre,* conçue et éditée par *Midi Libre,* mais dont les recettes seront partagées. Les apparences sont peut-être sauves mais, en fait, le Gard est redevenu *Midi Libre.* Mer calme pendant près d'un quart de siècle.

Pour les Nîmois, les étrennes de 1989 ne sont plus du soir, mais du matin. *Le Méridional,* journal conservateur du groupe *Provençal,* fonce sur Nîmes, et une partie du département sous le nom de *Nîmes Matin,* avec des moyens importants : une vingtaine de personnes dont douze journalistes. « On restaure la concurrence », affirme Michel Bassi, qui s'enflamme contre ces "baronnies inviolables". « En fait, dit de son côté le patron de l'agence nîmoise de *Midi Libre,* Alain Plombat, avec l'arrivée d'un concurrent, on s'est éclaté ; on n'est plus le journal officiel de Nîmes et on a gagné dans l'irrespect. »

Bilan après l'effet de curiosité : 12 000 *Nîmes Matin* le premier jour et un pot de fleurs à tout acheteur. *Midi Libre* dit avoir été peu touché et garder ses 20 000 exemplaires dans la zone où *Nîmes Matin* est crédité de 3 000. On reste serein à Montpellier, mais conscient que *Nîmes Matin* n'est peut-être qu'un pion avancé dans le duel Hachette-Hersant, dont il se murmure que le prochain épisode pourrait se situer à Montpellier même.

La capitale de région est également une habituée des escarmouches et autres coups de main. Elle s'est entraînée avec deux "sparring-partners", *L'Indépendant* et *Le Journal de Montpellier,* après avoir connu de 1947 à 1959 trois tentatives diverses de concurrence. Créé par J. Serres au début des années quatre-vingt, *Le Journal de Montpellier* fut considéré comme un des bons exemples de "City magazine" indépendant voire iconoclaste, et - bien qu'hebdomadaire - urticant pour *Midi Libre*. Lorsque la réussite financière ne suivit pas le même rythme que le succès de notoriété, *L'Indépendant* vint généreusement le soutenir dans ses efforts. Sans doute, Paul Chichet, son directeur, jugeait-il qu'il pouvait ainsi déplacer le "front" hors des Pyrénées-Orientales où *Midi Libre* bataillait contre son quasi-monopole. En fait le scénario allait évoluer et changer de vedette. Faute en particulier de publicité, *Le Journal de Montpellier* ne put tenir. L'affrontement se poursuivit à armes découvertes entre Montpellier et Perpignan pour s'achever par un coup de théâtre.

Paul Chichet, sans doute fatigué par les oppositions capitalistiques latentes avec la famille Brousse et sûrement amoureux de son mas et de sa vigne, se retire brusquement, tel Cincinnatus en son champ. En décembre 1986, *L'Indépendant* rend les armes et devient filiale à 80 % de *Midi Libre*. Dominique Prêtet, qui a déjà quitté la direction de la Fédération de la presse pour venir renforcer progressivement l'état-major de Montpellier, devient président ; il organise les synergies et les économies, et apaise progressivement les inquiétudes avant de transmettre le relais à Yves Chavanon. Bon gré, mal gré, Perpignan a tourné une page. Le groupe *Midi Libre* est constitué, *L'Indépendant* scellant de ses 74 000 exemplaires un ensemble qui a été déjà conforté par le modeste *Centre Presse* Rodez, lorsqu'Hersant a vendu par "appartements" son premier enfant régional. Au total, une diffusion de plus de 280 000 exemplaires, dont 185 000 vont se trouver dans l'œil du typhon à l'été 1987.

Quinze jours de grève à *Midi Libre* pour un premier test national sur l'informatisation des rédactions. En réalité, le mouvement part sur des bases beaucoup plus banales et ne trouve son "exemplarité" qu'en cours de route. A l'origine - mais peu avant le départ de la course cycliste du *Midi Libre* - les ouvriers du livre CGT demandent une prime d'ancienneté et une amélioration de la situation des remplaçants. Pourquoi pas, répond la direction, mais discutons globalement de l'économie de la fabrication et des gains que l'on pourrait obtenir, par exemple, grâce à la mise en place dans les rédactions du système Atex. Or, le SPQR a signé, un an avant, un accord avec le Syndicat du livre qui limite à 25 % de la copie le travail des journalistes sur console. *Midi Libre* demande 50 % !

Ce conflit s'avère exemplaire pour le Livre qui se sent menacé dans ses fondements. Il le devient aussi pour la direction, puisque Maurice Bujon incarne une figure emblématique de la profession. Sur ses conseils, son fils Claude va monter en première ligne. Claude Bujon est un médecin généraliste bien installé à Montpellier lorsqu'en 1981 son père - douloureusement atteint par la disparition de sa fille qui se préparait à ses côtés - lui demande de le rejoindre comme directeur général. De la table d'examen à la salle de composition, le chemin n'est pas évident. Le baptême du feu de 1987 va confirmer que les qualités du médecin sont en acier trempé : il écoute, il ausculte, il diagnostique, préconise un traitement et l'applique.

Pendant quinze jours, *Midi Libre* passe en soins intensifs. "Enjeu national", rappelle le Syndicat du livre qui multiplie les mouvements de solidarité, notamment à Rodez et à Perpignan. "Survie de l'entreprise", répond la direction, tandis que la rédaction sort une édition de quatre pages. Le 3 juillet, *Midi Libre* reparaît avec une pagination réduite, convalescent. L'accord a été signé la veille. La prime d'ancienneté sera de 3 500 francs par an pour huit ans de présence dans l'entreprise, le travail des remplaçants sera "humanisé"... Le volume total de la copie "non traitée par le livre" est fixé à 35%. «C'est un bon chiffre atteint d'une manière correcte et immédiate, et qui assure l'avenir du journal», conclut Claude Bujon.

Ce futur immédiat est préparé dans la sérénité et avec une rigueur dynamique. Sera-t-il fait de nouveaux "coups de tabac" ? Maurice Bujon a l'habitude de lire ou d'entendre que *Midi Libre* est dans la spirale Hersant. Ces suppositions sont fondées sur la présence, au capital, d'une société satellite de la Socpresse pour 10 % et, pour autant, de la succession Berneide-Raynal. Sans parler de prétendues promesses de ventes. Les Bujon démentent régulièrement. Claude Bujon prépare silencieusement l'avenir comme un praticien d'expérience qui sait que la presse - comme la médecine - n'est pas une science exacte mais un art.

Républicain lorrain *et* Est Républicain : *les frères ennemis*

Ils ont connu tous les déferlements, tous les arrachements. En 1940, beaucoup ont cherché refuge dans le Sud-Ouest; une vieille maison de Périgueux conserve, sur son fronton, gravée dans la pierre, l'inscription "Mairie de Strasbourg". Marguerite Puhl-Demange garde comme un précieux souvenir d'enfance sa présence à Bordeaux où les presses de *La Petite Gironde* permirent de tirer un *Journal des Réfugiés* de (mauvaise) fortune.

Marguerite Puhl-Demange partage avec Madame Evelyne Baylet et Madame Eliette J. Lemoîne le rare et redoutable privilège d'être une femme patron de presse. C'est, heureusement pour elle, un rôle naturel qu'elle assume avec autant de simplicité que de ferveur. «Pour une femme exactement comme pour un homme, il est possible de devenir patron de presse par les seuls hasards de l'état-civil, souligne-t-elle; mais c'est un métier trop astreignant pour qu'on le reste sans vocation. J'ai vérifié que le développement d'un journal, presque autant que sa création, exige une âme de journaliste. Je crois que c'est ce que mon père m'a légué bien avant son entreprise...»

Dans l'héritage de Victor Demange se trouvait sûrement aussi une bonne dose de courage. Car du 19 juin 1919 (les "trois 19") où parut un premier numéro entièrement en allemand aux 200 000 exemplaires du *Républicain lorrain* en 1989, la route a été vallonnée. Elle débouche maintenant dans la banlieue de Metz sur le symbole d'une réussite: le nouveau siège du journal recèle les meilleurs outils pour répondre aux multiples attentes des lecteurs et du marché. L'harmonieuse complémentarité de Marguerite et de Claude Puhl (directeur général) a permis, autour de Jean-Charles Bourdier (rédacteur en chef), la confirmation d'une tradition rédactionnelle. Des outils techniques performants autorisent, outre la variété des éditions, un grand champ de suppléments et de couleurs. *Le Républicain lorrain* essaye ainsi d'avoir toujours un tour d'avance sur ses concurrents: le câble à Metz et la télévision régionale avec RTL. Depuis 1964, les Lorrains disposent en effet de la première télévision privée dont l'audience a grimpé jusqu'à 26 %. Rude menace pour le marché publicitaire ! *Le Républicain lorrain* ne s'en est pas laissé conter. Avec sa propre organisation publicitaire et ses studios de création il a su animer le marché, tout en trouvant, sur les marges, des synergies de jeux avec RTL. Le "*Répu*" a l'un des plus forts pourcentages de recettes publicitaires de la PQR: en moyenne plus de 50 % du chiffre d'affaires.

Mais comment se développer dans une région en récession qui a perdu 150 000 emplois et où le bilinguisme tend à disparaître ? La diffusion s'effrite, l'édition en langue allemande, en douze ans, a vu fondre la moitié de ses 45 000 exemplaires. Elle s'arrête à l'été 1989.

Le "*Répu*" a cherché deux réponses, l'une interne, l'autre externe. Comme le dit Claude Puhl, les "quotidiens ont mis une corde de plus à leur arc commercial". L'arc du "*Répu*" est composé d'un peu de radio, de télématique et un investissement dans la production audiovisuelle en harmonie avec NEP-TV de *La Voix du Nord*. Mais la croissance interne a ses limites. Un regard extérieur était donc nécessaire.

Tout s'est bien déroulé lorsqu'il a rencontré celui d'Arnould Thénard, patron "chic et choc", propriétaire du *Bien Public*, qui cherchait un partenaire professionnel pour prendre le relais de RTL, minoritaire dans son capital. La vue est nettement plus trouble lorsque, depuis des années, le "*Répu*" lorgne vers le Sud. Les clins d'œil échangés avec *L'Est Républicain* sont d'une difficile accommodation.

Il existe au moins un point commun entre *Le Républicain lorrain* et *L'Est Républicain* : chacun a décentralisé ses installations dans un ensemble moderne et fonctionnel. On relève aussi une différence essentielle. *Le Républicain lorrain* est un bien de famille, autant moral que matériel, que les deux filles du fondateur, Victor Demange, leurs maris, Claude Puhl et Albert Petitdemange, tiennent à honneur de maintenir dans le respect d'une riche tradition. Le "*Répu*" ce sont les Demange, comme *La Dépêche*, les Baylet, *Nice Matin*, les Bavastro, *Le Télégramme de Brest*, les Coudurier, *Sud-Ouest*, les Lemoîne. Qui est *L'Est Républicain* ? La plaquette tirée pour le centenaire du journal en mai 1989 apporte une réponse sans détours : « Sauf avec Léon Chadé, de 1966 à 1974, le P-DG de *L'Est Républicain* a toujours été un homme issu de l'industrie ou des affaires. »

Le premier président - Charles Fisson - vient, en 1899, des Cimenteries de Xeuilley qu'il dirige. Parmi les plus gros actionnaires fondateurs, on trouve le directeur de l'usine à gaz de Nancy, un député, un industriel, un tanneur, un maître des forges, un brasseur et même un minotier. Ce minotier s'appelle Vilgrain. Il a acheté 6 des 740 actions émises au prix de 50 francs, soit le tiers du salaire mensuel d'un bon ouvrier de l'époque. A Charles Fisson vont succéder de 1903 à 1966 : un entrepreneur de travaux publics, un représentant des brasseries de Tantonville, un inspecteur de la Compagnie des chemins de fer de l'Est et le président de la Société salinière de l'Est.

1966 : Léon Chadé, journaliste à l'agence Havas avant-guerre, puis rédacteur en chef de *La Voix du Nord*, directeur de *L'Est Républicain* depuis 1949, offre au quotidien de Nancy son unique P-DG journaliste. Jean-François Lemoîne et François Archambault lui ont rendu hommage : « Léon Chadé, à *L'Est Républicain*, a été jusqu'à la fin 1974 le grand journaliste de la presse de province et l'un de ses plus fiers dirigeants. Cet homme d'extraction simple a montré dans son métier une grande noblesse de sentiment, le faisant entrer dans l'aristocratie de l'information. » Tel est l'éditeur qui pousse *L'Est Républicain* dans la plénitude de son développement, donc de son affrontement avec le voisin immédiat *Le Républicain lorrain*, qui a aussi à sa tête, avec Victor Demange, un homme de caractère et d'entreprise.

Après avoir fait place nette à Nancy, *L'Est Républicain* veut s'affirmer contre le *"Répu"* sur la Moselle. Il engage une "guerre de dix ans" qui s'achève par un premier armistice en 1961. Il faut "désarmer la machine de guerre", accepte Léon Chadé. Le journal marque alors un virage stratégique. Profitant de la paix au Nord (on a même évoqué une fusion entre *L'Est Républicain* et le *"Répu"*), *L'Est Républicain* peut s'intéresser à ce qui se passe au Sud où *Le Progrès* - celui des Brémond - avance ses pions. Les accords se succèdent avec les *Presses Nouvelles de l'Est* de Pierre Brantus et *La Haute-Marne libérée* (1966-1967). Quelques années plus tard cette politique connaîtra son Canossa à Dijon où le *Bien Public* tirera intelligemment les marrons du feu.

Le journal - devenu groupe - songe toujours à son expansion. Consolidé au Sud, il regarde de nouveau au Nord, son vieux rival de Metz. Absorption de *L'Ardennais* en 1970, pacte de non-agression avec *L'Union* de Reims, pourparlers pour entrer dans *La Liberté de l'Est* dans le Haut-Rhin. Au Nord, au Sud, bientôt à l'Ouest, l'empire de *L'Est Républicain* est l'œuvre de Léon Chadé. "L'œuvre de ses désirs et de ses passions, le résultat de ses succès et de ses échecs", écrit J.-M. Launay.

Mais l'homme de "passion et de froid calcul" qu'est Léon Chadé sait être réaliste. En 1971, l'armistice prend l'apparence d'une paix : *L'Est Républicain* abandonne la Moselle et l'arrondissement de Longwy ; *Le Républicain lorrain* renonce à la Meuse et à la région de Toul et Lunéville. Une brève période "idyllique" suit : les deux régionaux fondent à égalité la Société civile des publications de l'Est, qui a pour objet une "admission au bénéfice commun des possibilités d'expansion s'offrant aux deux journaux hors des limites de leurs zones de diffusion". Cela débouchera même sur une prise de participation commune dans *Plaisir de la Maison*. En 1971, lorsque V. Demange, figure emblématique de la PQR, s'éteint, le front de l'Est est calme.

Hélas, la paix a des fragilités insoupçonnées ; dans les bunkers du capital une autre offensive se prépare. En 1973, les Vilgrain décident de céder leurs parts de *L'Est Républicain*. En 1889, le fondateur en avait 6, moins de 1% du capital. En 1973, les héritiers vendeurs disposent de 21,4%. Et qui se porte acquéreur ? *Le Républicain lorrain* !

Une autre histoire va commencer. «Pendant vingt-cinq ans, je me suis battu pour être le premier quotidien régional de l'Est», écrit Léon Chadé, au soir de sa carrière. Dans une lettre à J.-M. Launay, il a même cette admirable formule : «Un jeune arbre a poussé à Metz dans une terre riche à quelque distance d'un autre bien plus âgé, leurs racines s'entremêlant. Selon la loi de la nature, le plus vieux était condamné. Ce fut la hantise de mes vingt-cinq ans de direction.»

Bien plus que les racines, tout, en 1973, peut s'emmêler. La vente des actions Vilgrain a pour effet non seulement de rompre le fragile équilibre, qui a permis à un homme extérieur au capital de gouverner, mais encore d'entrouvrir largement la porte à l'adversaire honni. A 69 ans, Léon Chadé va devoir livrer une dernière bataille pour que "le plus vieux ne soit pas condamné". Il fait jouer le droit de préemption pour les actions Vilgrain. L'enchère est à 9 MF. La famille Boileau - vieille souche nancéienne et déjà actionnaire - peut éviter l'invasion messine. Elle achète les actions Vilgrain qu'elle revend immédiatement à deux de ses sociétés présidées par le docteur Boileau : la Grande chaudronnerie lorraine et sa filiale les Fonderies de Travercy. Les Boileau ramènent *L'Est Républicain* à sa tradition de P-DG industriels. Léon Chadé part ; Charles Boileau dirige énergiquement notamment la modernisation de l'imprimerie. Fin du premier acte, les ressorts du drame sont en place. D'une part, la cession des actions à la GCL est contestée devant la justice par les Puhl-Demange. Des tonnes et des tonnes de jurisprudence vont suivre. D'autre part, la guérilla sévit aussi à l'intérieur. Elle est conduite par un Landais fin et têtu, Pierre Lignac. Médecin, il est "monté" au front en 1914 et, à l'occasion d'une permission à Nancy, a rencontré l'amour auprès de la fille d'un sénateur de Meurthe-et-Moselle. Il l'épouse et devient ainsi, par hasard, le gendre d'un administrateur délégué de *L'Est Républicain,* autre titre du sénateur. Pierre Lignac se prend également de passion pour cette entreprise de presse. Il espère, sans doute, l'assouvir en 1974 lorsque les actions Vilgrain sont à vendre. Or, c'est un autre praticien, le docteur Boileau, qui l'a emporté et dirige "son affaire". Donc Pierre Lignac, lui aussi, plaide. Deuxième acte, en 1983. La justice annule l'achat des actions Vilgrain par la famille Boileau. Celles-ci restent dans la GCL dont, entre-temps, *Le Républicain lorrain* s'est rendu propriétaire. Retour à la case départ : Metz frappe à la porte par l'entrée dérobée de la GCL. Les Boileau, redevenus minoritaires sont évincés, mais le capital est un empire tellement éclaté que gouverner devient impossible.

Les Lignac ont leurs 28%, *Le Républicain lorrain* via la GCL 21,4%. Les Boileau restent autour de 10%. Un quatrième partenaire peut régler le jeu avec plus de 10%: c'est la famille Bouriez. La solution est trouvée en novembre 1983 : Gérard Lignac, fils de Pierre, prend la présidence et s'assure d'un pacte avec *Le Républicain lorrain*. Il laisse entrer "l'adversaire" de Metz directement au capital avec un gentlemen agreement qui fédère une majorité. La situation devient : Lignac et alliés (35,2 %) plus *Républicain lorrain* (21,9 %). La majorité est assurée à Gérard Lignac face à des partenaires très présents mais apparemment passifs : les Bouriez, les Boileau et quelques autres.

Difficile pari d'un président minoritaire, dont le concurrent ancestral va siéger au conseil d'administration. Sa grande finesse sera utile à Gérard Lignac pour réussir à poursuivre le développement de *L'Est Républicain* et de son groupe. Il n'ignore ni qu'il évolue en terrain miné, ni que des hommes comme Pierre Didry à la direction générale (Gérard Colin lui a succédé en 1986) et Roland Mevel à la tête de la rédaction (Pierre Tarribo depuis 1988) ont toujours assuré la continuité dans la tourmente.

L'alliance Lignac-Puhl, ou - si l'on préfère - entre *L'Est Républicain* et *Le Républicain Lorrain,* revêt, un temps, l'apparence de la raison. En juin 1988, un document public situe Cora-Bouriez toujours à 11 %, les Boileau sont retournés à un demi-anonymat, mais 6,5 % de leur portefeuille fait l'objet d'une action en "prête-nom". Enfin un petit 8 % est en débat du côté de... Clermont-Ferrand où Pierre Lignac a, avant de mourir à l'âge de 93 ans, reconnu un fils.

Petite péripétie, au demeurant, comparée au grand final qui se prépare avec toute la troupe.

Le coup de théâtre fige le monde de la communication en juin 1989 : *Le Républicain Lorrain* a signé un avant-contrat avec Cora qui prévoit la vente de ses 21,90 % à ce groupe de grande distribution dont le président, Michel Bouriez (président de la chambre de commerce de Nancy), a des problèmes avec la justice. Chacun s'interroge. Cora veut-il exercer une "vengeance" à l'égard d'un journal qui a accompli correctement sa mission au moment de l'inculpation de Michel Bouriez pour fausses factures ? Ou bien l'un des premiers annonceurs de publicité d'un quotidien veut-il, tant qu'à faire, s'offrir une étiquette d'éditeur au rayon information ?

On s'est bien davantage perdu en conjectures devant le retournement stratégique du *Républicain Lorrain,* que la famille dirigeante considère comme une décision et une affaire privées. La seule réponse connue est celle de Gérard Lignac : «Leur changement d'avis tient à deux raisons. La première, c'est le refus de ce qui m'était proposé. C'est-à-dire la consolidation de ma majorité tant que je suis là, sous réserve que je leur repasse mes actions une fois que je n'y suis plus. J'ai toujours refusé ça, ce n'est pas sain ; et je n'aime pas qu'on me force la main. Deuxièmement : il y a ce gros sucre d'orge qu'est le prix payé par Bouriez.»

Soit. Il est vrai que ce qui valait 9 MF en 1973 représente, dix-sept ans après, 105 MF offerts par Bouriez en juin 89. En août, le même paquet d'actions repasse le Rubicon pour 125 MF, surenchéris par le clan Lignac ! Fin 1989, et tandis qu'on plaide, plaide sans fin, le paquet est plutôt aux objets perdus. Inutile ou presque... puisque les Boileau se sont jetés à l'eau, et ont vendu les 6,5 % qui faisaient problème (30 MF, dit-on) à Gérard

Lignac et à ses proches. Avec 42 % du capital le P-DG a les cartes en main. Ce diplômé d'Harvard a démontré en quelques mois que derrière une fantastique culture gréco-latine, une belle élégance de pensée et un nœud papillon de savant professeur, il avait conservé l'énergie et l'agilité tactique des Gascons, ses ancêtres. Elles lui seront toujours nécessaires pour suivre à la trace les actions Grande chaudronnerie lorraine qui restent entre deux eaux et quelques procès. Car *L'Est Républicain* veut une paix durable et non plus des armistices éphémères.

Farce de Plaute ou tragédie d'Eschyle, en face du nouveau siège de *L'Est Républicain* à Houdemont, où toute la France de la communication vint, en mai 1989, fêter le centenaire du journal, Gérard Lignac peut voir une grande surface à l'enseigne de Cora. Un bon client publicitaire.

Les derniers duchés

En accomplissant ce voyage au centre de la PQR, l'impression dominante est celle d'une activité très concentrée autour de groupes, que ceux-ci soient de grosses entreprises multimédias, voire multinationales ou de plus simples regroupements de presse écrite. Ce décor ne prend toute sa couleur qu'avec les plus fines touches qu'apportent à l'arbre généalogique des grandes familles les fortes branches des "indépendants", terme sans doute ambigu pour désigner des entreprises qui se distinguent seulement parce qu'elles n'ont pas fédéré de journaux autour d'elles.

« A mon avis, déclare Jacques Saint-Cricq, président du Syndicat de la presse quotidienne régionale à Joseph Paletou, il reste dans notre pays une place non négligeable pour les journaux régionaux indépendants, bien gérés, et réussissant à avoir une exploitation saine. Il n'y a par conséquent aucune raison pour que ces journaux sains et indépendants soient la proie de grands groupes de presse. Il me semble qu'il peut y avoir cœxistence tout à fait pacifique entre des groupes très puissants et des régionaux bien gérés, comme c'est le cas aux USA. »

La NRCO : *de l'idée à la réalisation*

La Nouvelle République du Centre-Ouest, sixième régional avec ses 270 000 exemplaires diffusés, en donne le meilleur exemple. La *NRCO* n'a qu'un titre mais c'est le plus long de la presse française. L'usage a bien entendu trouvé des solutions à cette apparente lourdeur, en désignant le journal de Tours, comme la *NR* ou *NRCO* et, affectueusement comme la "Nounou". Lors de la récente inauguration des nouvelles installations du Centre Jean Meunier dans un quartier de Tours judicieusement choisi, toute l'équipe réunie autour de Jacques et Mireille Saint-Cricq (fille de Jean Meunier) a pu mesurer l'estime et la fidélité qui assurent plus que jamais la démarche de la *NR*.

Car "Nounou" ou *NR*, la vie n'est pas toujours simple lorsqu'on travaille sous le ciel de Touraine au cœur de trois régions, Pays de Loire, Centre, Poitou-Charentes, et de "pays" aussi typés que le haut Poitou ou la Sologne. Bien plus que la plupart de ses confrères, la *NRCO* plonge ses racines dans des terroirs très différents, parfois opposés. Ses 15 éditions sur 8 départements exigent que le miroir de la vie locale et régionale reflète un véritable kaléïdoscope de couleurs.

Le Centre constitue aussi la position idéale pour être environné de toutes parts. A l'Ouest, l'incontournable *Ouest-France* et le *Courrier de l'Ouest*. A l'Est, *Centre France* qui, en acquérant *Le Berry Républicain,* a gagné du terrain. Au Nord, les escarmouches sont limitées avec *La République du Centre*. Au Sud, une épine dans la Vienne, *Centre Presse,* tandis qu'une très ancienne frontière est depuis longtemps établie avec le groupe *Sud-Ouest* le long des deux Charentes.

Sa spécificité la plus forte, la *NRCO* la tire de son statut particulier de société anonyme à participation ouvrière (SAPO), avec directeur et conseil de surveillance. Jean Meunier, député SFIO en 1936, et Pierre Archambault, journaliste et militant d'action catholique, réunis par le même idéal et les mêmes responsabilités dans la résistance tourangelle, prolongèrent cet élan humaniste en adoptant en 1944 ces statuts qui, en limitant en outre l'accès au capital à 1% par individu, devaient assurer un "journal indépendant des puissances d'argent". Pendant près d'une trentaine d'années, la *NRCO* va se développer. Jean Meunier assure une large mission politique comme député et maire de Tours, tandis que Pierre Archambault se consacre non seulement au journal mais aussi à la profession, dont il devient le guide écouté et clairvoyant à la présidence du Syndicat national de la presse quotidienne régionale. Cette complémentarité trouvera ses limites humaines avec l'éloignement progressif de Pierre Archambault.

En août 1975, Jean Meunier disparaît. Jacques Saint-Cricq devient président du directoire, titre qui consacre ses talents d'ingénieur et de manager, d'homme d'idéal et de pragmatisme. Démonstration est faite aujourd'hui que l'esprit même de la SAPO, s'il ne gomme pas toutes les difficultés, a permis de trouver les solutions nécessaires pour la construction du Centre Jean Meunier.

« Il faut être concret dans la presse, souligne J. Saint-Cricq, passer rapidement de l'idée à la réalisation. Par ailleurs, partageant les idéaux de J. Meunier, j'ai à cœur d'assurer leur continuité au sein de l'entreprise. Car finalement, l'idée initiale, qui pouvait paraître un peu folle en 1944, se révèle quelque quarante-cinq après avoir été une expérience particulièrement intéressante et durable. »

Avec la participation au directoire d'un journaliste vif-argent, David Bohbot, le patron de la "Nounou" a su d'une part redynamiser le journal dans son contenu, aidé par Hervé Guéneron, nouveau rédacteur en chef, et dans ses initiatives commerciales.

Assurant de mieux en mieux sa base écrite, la *NRCO* est un des exemples de diversification réaliste, avec - dans la "filière papier" - une maison d'édition (plus de 60 ouvrages), un département de magazines de "pays" (une réussite qui s'étend en Dordogne en collaboration avec le groupe *Sud-Ouest*), une forte entité dynamique autour des *Nouvelles d'Orléans* (l'hebdo "qui dérange"), plusieurs structures en collaboration avec Havas pour les gratuits ou la distribution d'imprimés publicitaires, une branche télématique qui a associé notamment la CCI de la région Centre à ses produits. Chaque fois, une règle fondamentale : autofinancement et ressources propres. « L'information se conjugue sur le mode du pluralisme, conclut Jacques Saint-Cricq. Pour notre part, nous avons montré ce que nous pouvons faire. A partir de là, que le meilleur gagne. »

Nice Matin : *le commandeur*

Quiconque a imaginé que la direction de *Nice Matin* affiche en permanence l'air pétillant des carnavals et autres festivals de la région niçoise, doit réviser son jugement. Michel Bavastro est un homme de haute autorité dont le masque est aussi lisse que les magnifiques panneaux de laque qui couvrent les murs de son bureau présidentiel. Il regarde son interlocuteur et... lui-même au fond des yeux. Encadré par l'écaille des lunettes, son regard exprime furtivement de brefs éclairs de malice, de satisfaction ou de colère. Il a fait *Nice Matin*. Il "est" *Nice Matin,* commandeur de tous les croyants en une société azuréenne qui recouvre d'un même soleil une population paisible de retraités fortunés, de fortunes errantes, de dynamiques matières grises. Lorsqu'il y a des éclats sur la Côte d'Azur, ce sont d'abord ceux de l'or.

Avec des moyens techniques très évolués, l'offset dès 1979, une mise en page colorée et claire, *Nice Matin* s'affronte à une double exigence : être suffisamment "international" et "local" pour devenir indispensable aussi bien au financier suisse qu'au pêcheur de Saint-Raphaël. Bref pour être incontournable : ce qu'il est. On ne peut davantage y échapper sur le terrain, solidement appuyé qu'il est dans son angle de France, face à un seul front logique, celui du *Provençal*. Mais là, on ne s'est guère privé de rompre des lances dans la zone frontalière du Var. Trêve en 1966, rompue en 1984. Face à face : *Var Matin (Le Provençal* a fermé son édition du Var pour conforter le combat de sa filiale) et *Le Var,* gros titre sous lequel *Nice Matin* paraît dans le département. Le résultat ? Une bonne qualité journalistique de part et d'autre. En 1989, *Le Provençal* a réouvert un deuxième front en décentralisant totalement son édition de Corse sur l'île même, avec l'espoir de bénéficier de l'effet de particularisme. Le journal de Marseille a pris le nom de *La Corse* et *Nice Matin,* depuis plus longtemps - et toujours majoritaire - celui de *Corse Matin.*

Hachette conduit ainsi sa stratégie d'assaut et d'encerclement contre ses voisins immédiats : à l'Ouest, rappelons-le, contre *Midi Libre,* avec *Nîmes Matin* et peut être une prochaine opération Montpellier ; à l'Est contre "L'Empire" Bavastro. Dans les deux cas, un seul et même objectif : la succession. Michel Bavastro a bon pied, bon œil, et reste, à 83 ans, le doyen respecté de la PQR. Il est au sommet d'une pyramide dont il sait bien que beaucoup d'envieux le regardent.

Nice Matin a également le statut de société anonyme à participation ouvrière. La dialogue n'en est pas pour autant très facile comme en témoignent divers mouvements, dont le plus dur eut lieu en 1985 pour une banale affaire de contrôle informatique de la production des clavistes. L'habile clairvoyance de Michel Bavastro a cherché des solutions d'apaisement à travers un homme technique, G. Valery, représentant CGT au Conseil au nom de la Coopérative ouvrière, devenu directeur technique.

Cette coopérative détient 25% des voix, la famille Bavastro 18% qui fait bloc avec trois autres actionnaires : les Comboul (17,5 %), les Buchet (16,5 %) et Claude Berneide-Reynal (14%). Ici, comme à *Midi Libre,* les observateurs s'interrogent sur la succession de ce dernier.

Les certitudes : la famille Bavastro demeure très présente. Gérard, le fils, a délaissé la robe d'avocat pour devenir directeur général fin 1978. Claire Avril, la fille, un sourire élégant de la TV, est chargée des relations publiques. Georges Mars, le gendre, a été longtemps rédacteur en chef. C'est aujourd'hui un de ses adjoints, Charles Buchet, du "bloc" Buchet. Un familier enfin, Roger Bouzinac, longtemps directeur du SNPQR, un temps président de l'AFP et membre de la CNCL, l'homme qui peut regarder la profession à livre ouvert et engager le dialogue à gauche comme à droite. Avec une coopérative ouvrière où la CGT a perdu du terrain au bénéfice de

FO et de la CGC, des alliances internes pourront se nouer ou des déchirements venir de l'extérieur. Délicat de lire dans la boule de cristal. D'autant que le magnifique siège, situé à l'entrée de Nice depuis 1979, est peu accessible à la transparence extérieure. Entièrement en verre fumé, il abrite celui que la profession appelle affectueusement "le Sphinx".

Le Télégramme : *courage et réussite*

Bien à l'abri derrière le masque torturé d'eau et de rochers que la Bretagne offre au visage français, *Le Télégramme* trouva, à la Libération, les installations de *La Dépêche* de Brest à... Morlaix. Les risques de la guerre avaient exigé quelques précautions. Une fois tus les canons, le journal est demeuré à Morlaix avec des équipements performants et, à Brest, grâce à l'ancrage d'un tel immeuble.

Jean-Pierre Coudurier a succédé à son père, Marcel, en 1962 alors que *Le Télégramme* diffuse déjà un peu plus de 100 000 exemplaires. Il dépasse aujourd'hui les 180 000. L'exploit doit être mesuré à l'aune bretonne, c'est-à-dire avec la concurrence forcenée, on pourrait presque dire le corps à corps, avec *Ouest-France*. Et sur un bout de terre au développement économique difficile. La grande force du *Télégramme* est d'avoir porté, aidé, soutenu ce coin de Bretagne et donc d'avoir créé des liens vivaces avec ses lecteurs. Pour se battre, il faut des moyens : le journal a été le premier - par exemple - à tirer une jaquette couleurs en offset et a analysé très tôt les attentes de son lectorat.

Marin, bien sûr, et skipper de son voilier, évidemment, Jean-Pierre Coudurier allie chaleureusement la fermeté nécessaire à la barre et une grande capacité à prévoir sa route. Un œil sur le compas, l'autre sur l'horizon, il marque aussi d'une personnalité authentique certains caps de la profession. A travers lui, *Le Télégramme* envoie aujourd'hui des messages clairs, qu'il s'agisse de défendre l'écrit - beau combat pour la Société des papiers de presse -, ou de la diversifier en radio, télévision ou télématique. Ses enfants, et notamment Hubert, spécialiste du journalisme TV, ou Edouard, à ses côtés à Morlaix, constituent un solide équipage familial. Ils ont un beau navire sur les flots du Finistère, des Côtes du Nord et du Morbihan, mais ils sont sûrs aussi d'avoir arrimé la cargaison puisqu'ils détiennent un solide tiers du capital avec un représentant de la société des journalistes et un autre de la société des cadres, sur la dunette. La mer n'est pas toujours d'huile, mais on a de quoi assurer. *Le Télégramme* continue à tracer une route droite et courageuse avec l'audace et le réalisme des grands corsaires bretons.

Alsace, République du Centre, Bien Public : *ou les bastions solitaires*

L'Alsace et La Lorraine, symboles patriotiques chantés en chœur, offrent deux visages différents de la PQR. La paix règne en Alsace, alors que les tourments agitent depuis des années la Lorraine.

Rien ne doit être conclu de la participation croisée (à hauteur de 20%) qui facilite sans nul doute le dialogue entre les *DNA* et *L'Alsace* sur des dossiers généraux où la réflexion peut être affinée en commun. Les *DNA* demeurent le fleuron d'Hachette, et *L'Alsace* la fierté du Crédit mutuel d'Alsace à la tête duquel Etienne Pflimlin a succédé à Théo Braun. Ce dernier avait, en 1972, arbitré au bénéfice de la Banque régionale la bataille que les *DNA* et *L'Est Républicain* se livraient autour du journal de Mulhouse, en mauvaise santé. Depuis, grâce à la gestion clairvoyante d'un manager formé chez Rothschild, et intelligemment adapté à son nouveau métier, Gilbert Klein, *L'Alsace* est - avec les *DNA* - un bon exemple de rentabilité économique et de créativité journalistique. *Le Journal des Enfants* figure parmi ses réussites. Comme les *DNA* ne sont jamais en reste d'idées, le débat alsacien est de bonne tenue. Un dernier exemple pour le prouver : *DNA* et *Alsace* ont créé un GIE pour assurer la correspondance régionale de TF1 et cosignent les reportages à l'écran. Cependant, leur politique en matière audiovisuelle reste autonome : *L'Alsace* et le Crédit mutuel sont au capital de M6 alors que les *DNA* suivent un éventuel dossier de syndication de télévisions régionales.

Faut-il enfin rappeler que dans le Bas-Rhin et le Haut-Rhin, cette politique rédactionnelle bien adaptée jointe à une synergie commerciale largement aidée par la fidélité du portage, permet à la PQR de connaître une diffusion record : 70% des foyers lisent les *DNA* ou *L'Alsace*.

A Orléans, des promotions entières d'élèves du CFPJ ou des stagiaires du CPJ ont défilé dans les années 70, comme se sont succédé les confrères. *La République du Centre* a été, en effet, le premier journal français à oser l'aventure (c'en était une alors) de l'impression offset. Le 29 février 1969, la superbe Métroline Goss installée à Saran révéla le nouveau monde de la couleur en direct à 40 000 exemplaires à l'heure. Simultanément *La République* avait choisi, là encore la première, le passage à la composition froide avec le premier système IBM multipoint.

Qui sont ces pionniers à la fin des années 60 ? Un journaliste de clarté et de passion, un moraliste, un écrivain spécialiste de Péguy et, un temps député-maire d'Orléans : Roger Secrétain. Jusqu'à sa mort, son long éditorial du samedi matin était une large réflexion sur les évènements et les hommes que cet homme de cœur analysait sans concessions. Avec lui, un ancien de l'administration des Impôts, solide et convivial, Pierre Carré. La passion de l'un, la raison de l'autre permirent aux deux fils, Michel Secrétain et Marc Carré, de réussir la métamorphose des années 1970 qui a longtemps profité à leur OJD.

La complémentarité des deux dirigeants actuels, Marc Carré est journaliste et Michel Secrétain, technicien, a permis d'agrandir la famille par le rachat de *L'Eclaireur du Gâtinais* et, en 1989, par l'extension de la capacité d'impression. Comme son voisin la *NRCO, La République du Centre* est en régie Havas. Marc Carré, qui connaît bien son métier de journaliste régional, Michel Secrétain, qui a su acquérir par sa compétence et sa générosité l'amitié de ses pairs, préparent l'avenir selon le principe qui a toujours réussi à *La République du Centre* : un journaliste et un gestionnaire.

En Bourgogne, le Baron Thénard préside l'un des plus vieux quotidiens de France, né en 1868, qui porte fièrement le même nom depuis plus d'un siècle : *Le Bien Public*. Toute l'entreprise a encore en mémoire la période héroïque où le journal passa lui aussi à l'offset, sur un énorme prototype allemand qui ne se laissa pas facilement apprivoiser. Comme Arnould Thénard et François Bacot, qui assura avec une classe toute naturelle le lien entre les générations familiales, les ouvriers eurent parfois juste le temps d'aller prendre une douche entre la fin du tirage du jour, vers midi, pour 50 000 numéros ! et la préparation du journal du soir.

Episode aujourd'hui anecdotique comparé aux péripéties connues depuis la Libération. *Le Bien Public,* plutôt à droite, *La Bourgogne Républicaine,* socialiste, ont reparu en 1944 après s'être sabordés en 1940. Deux titres moyens dans une métropole moyenne, la réussite économique n'est pas évidente. Mais la compétition est saine, sauf lorsqu'elle conduit à prévoir un suréquipement local. *La Bourgogne Républicaine* devenue *Les Dépêches du Centre-Est* ne veut pas rester en arrière dans l'évolution technique qu'amorce son rude concurrent *Le Bien Public*. Là où un centre technique commun aurait pu permettre des économies d'échelle, on ira vers deux investissements lourds. En janvier 1973, *Les Dépêches* passent à *L'Est Républicain* qui recherche alors un accord d'exploitation avec *Le Bien Public*. Il durera deux ans. En 1976, chacun reprend sa liberté. Pour *Le Bien Public,* la réussite est au bout du chemin ; pour *Les Dépêches* la mort lente. Tableau absurde, sans doute, qui permet de méditer sur les zones d'orgueil qui recoupent parfois les zones d'influence.

Qu'il s'agisse du journal, judicieusement décentralisé dans un ensemble agréable et fonctionnel, ou du château de la Ferté qui abrite encore les appareils du chimiste Thénard, inventeur de l'eau oxygénée - qui le sait ? -,

Arnould Thénard assume avec un élégant réalisme le respect d'une mémoire et d'un passé en même temps que la lecture des tableaux de bord qu'il génère à l'envi sur son ordinateur. Le capital est resté totalement familial pendant longtemps. La majorité est toujours à A. Thénard qui s'est assuré d'abord du partenariat de la CLT puis, lorsque celui-ci a souhaité se désengager partiellement, de l'appui du *Républicain lorrain*. Un accord prévoit la cession progressive de 37% du capital d'ici à 1991. Autour d'Arnould Thénard, une jeune et solide équipe, dans laquelle Louis de Broissia a succédé à François Bacot, pourrait faire sienne une vieille devise : le *Bien Public* "maintient".

Ce voyage au cœur vivant de la PQR prend fin. Il s'est voulu visite aux hommes autant qu'aux entreprises, avec un risque conscient de fautes ou d'oublis. Ne commettons pas, en tout cas, l'erreur de ne pas saluer quelques "cas" qui valent le détour.

Par exemple, la presse communiste qui a pris de plein fouet le refus de la politisation et ne conserve que trois titres en région : *L'Echo du Centre* qui a su mobiliser la solidarité professionnelle après un grave incendie de ses installations, *La Liberté* dans le Nord et *La Marseillaise* dans le Midi. *La Presse de la Manche,* à laquelle Daniel Jubert a donné la renommée de quelques scoops, a fêté, en novembre 1989, son 100e anniversaire autour de la famille Giustiniani, garante de la tradition de ce dernier "réduit" normand très courtisé.

Hommage à *L'Yonne Républicaine* qui vit bien son indépendance à Auxerre et enfin au plus petit quotidien de France. Il est toujours à Mazamet. Il s'appelle toujours *La Montagne Noire* et il diffuse 3 000 à 4 000 exemplaires. Lorsqu'il posait son stylo de rédacteur pour enfiler sa blouse de typo, son directeur avouait : « Je vis de ce que j'aime et j'espère en vivre longtemps... » Les plus humbles savent souvent conserver les vérités essentielles.

Les métiers et les hommes

Du manœuvre à "l'intello"

De la bobine de papier bien ronde qu'il faut pousser au pied de la roto au titre bien carré qu'il convient de ciseler en "une", voici le lieu de tous les métiers. L'œuvre commune qui fait appel autant aux petites cellules grises qu'aux gros muscles est compliquée à réaliser quotidiennement. Elle s'explique plus facilement.

Un quotidien régional, c'est tout simple. Imaginez un appareil photo braqué en permanence sur l'actualité, avec sortie instantanée du cliché en centaine de milliers d'exemplaires. Il suffit de trouver le bon angle, de choisir le bon éclairage, d'avoir la bonne sensibilité, d'être positif. Il faut surtout, pour un régional, savoir serrer ou élargir le champ - de l'infiniment proche au lointain international - sans jamais être flou. Pour cela, le mieux est encore d'installer l'appareil sur un trépied : la rédaction, la fabrication, l'administration.

Quelle que soit la taille du journal, on peut toujours faire référence à cette trame pour pénétrer l'alchimie d'un départemental ou d'un régional. Il est - peu ou prou, avec des variantes - constitué d'une rédaction (20 à 25%

des effectifs), d'une unité de fabrication (environ 40% de cadres techniques et ouvriers du Livre) et d'un pôle, de plus en plus structuré d'administration (autour de 35% du personnel) essentiellement en croissance dans le secteur commercial, diffusion et publicité.

Chaque fonction possède ses lettres de noblesse. Les plus anciennes sont celles du Livre. Elles remontent à l'aristocratie de la connaissance, celle des typographes qui savaient lire et écrire dans une France où l'on signait encore d'une croix. Combien de jeunes journalistes ont-ils été sauvés d'un péché d'orthographe par un vieux typo ? Le "marbre", cette longue table haute et droite où s'alignaient les "formes" (chaque page était une "forme" en lignes de plomb), a, de tout temps, favorisé cette fraternité d'aristos avec les journalistes, eux-mêmes anoblis autant par le regard que le public porte sur eux et le pouvoir qu'il leur prête (avec usure), que par leur délicate mission d'information et d'écriture. Longtemps, journalistes et typos ont été les deux "grands" de la famille, mélangeant amitié et condescendance à l'égard de ceux auxquels revenaient des tâches moins typées que les leurs.

Désormais, le savoir se niche partout. La compétence est requise à tous les étages. La fabrication exige des ouvriers à fort potentiel d'évolution, des techniciens de bon niveau, des ingénieurs d'une belle agilité. Dans l'administration, imagination et performance ont pris le pouvoir chez les commerciaux, tandis que les "éclaireurs" de la gestion se sont révélés indispensables pour baliser la route. La PQR a ainsi effectué une révolution tranquille en abolissant quelques privilèges de caste et en donnant une nouvelle égalité du savoir à l'intérieur des trois métiers.

Reste le "pouvoir" devant lequel certains sont plus égaux que d'autres. Simplifions. Les trois familles : rédaction, fabrication, administration s'inscrivaient, naguère, dans des démarches très personnalisées qui tendaient toutes à faire un journal bien sûr, mais par succession ou superposition de métiers à frontières évidentes et immuables.

L'informatique a brouillé tous les tracés frontaliers. Elle a fait évoluer la machine à écrire des journalistes en la branchant sur un ordinateur et en ajoutant un écran qui rend la gestion de la copie facile et intelligente. Elle a beaucoup modifié le rôle des techniques appelées à remplacer des tâches répétitives de faible valeur ajoutée professionnelle par les missions originelles du "typo": la belle ouvrage graphique là où elle est absolument nécessaire, notamment pour les annonces publicitaires. Elle a donné à l'administration tous les moyens d'une politique financière ou commerciale d'anticipation autant que de suivi.

En tirant le travail vers le haut, la presse quotidienne régionale a choisi d'anoblir tous ceux qui concourent à la vie d'un journal. Ou, si l'on préfère, elle semble condamnée à abolir les privilèges seigneuriaux. Le plus fort reste celui du Syndicat du livre. Qu'il soit historiquement fondé n'est contesté par personne. Qu'il incarne une éthique professionnelle parfaitement respectable est reconnu par tous. L'espoir est néanmoins fondé de voir ce savoir-faire accepter une indispensable évolution des techniques. Ainsi, l'avenir des entreprises de presse serait-il assuré intelligemment, comme aux Etats-Unis où cette question paraît aussi historique que la guerre de Sécession.

L'essentiel n'est-il pas, pour la PQR, de conquérir ou reconquérir des lecteurs ? Donner mieux et plus à lire pour moins cher, telle est la règle commune que tout manager se fixe. Cela oblige souvent à une remise en cause ou, au mieux, à une évolution de l'esprit d'entreprise. Le journal provincial était une famille. On y respectait tout autant le vieux collaborateur souffreteux que les divas de la rédaction. On y cachait ses misères. On était entre soi. De ce passé respectable et généreux, les plus fins savent qu'il ne faut pas faire table rase ; et pas davantage leur pain quotidien pour l'avenir. Ils cherchent alors un habile dosage entre tradition et révolution en complétant l'expérience par la performance.

C'est, en PQR, un renouvellement profond et vivifiant du système sanguin. Il est difficile aujourd'hui d'être journaliste sans une licence. Pour être commercial, un fort professionnalisme est exigé à base de diplômes et d'expérience. Fini le bon gestionnaire "père de famille". Vive le financier ou le contrôleur de gestion qui sort le bulletin de santé de l'entreprise en croisant tous les paramètres, qui analyse et éclaire en jouant au chat subtil avec la souris de son micro-ordinateur. Impensable d'entrer dans le secteur fabrication sans une solide culture informatique assortie d'une réelle ouverture sur la gestion du produit. Même le manœuvre a changé de nom. Il s'appelle ordinateur.

La nouvelle race des managers

Dans les salons dorés du pouvoir comme dans les coulisses de l'intelligentsia parisienne, on avait (on a encore ?) coutume de les appeler les "barons de province". On les disait suzerains sur leurs terres et particulièrement attentifs à ce qu'aucun faquin ne vienne y braconner. Irriguant sans cesse des ruisselets d'influence sans lesquels les grands ou petits courants se seraient taris, ils étaient le "quatrième pouvoir", presque littéralement. Attention, les clichés jaunissent.

Certes, ils ne sont pas très loin ces hommes qui, par leur entregent, vivaient une complicité de puissance partagée avec le pouvoir politique. Gaston Defferre régnait sur Marseille indifféremment depuis son fauteuil de maire, son bureau du *Provençal* ou son cabinet ministériel. De *La Dépêche* à la rue de Valois, Jean Baylet - comme aujourd'hui son fils - connut toutes les joies de l'éminence grise. Voici qu'en ce siècle finissant le tiroir aux souvenirs est déjà refermé. Peu de patrons de presse se soucient désormais d'être aussi puissants sous les ors de la République qu'au pied de leur rotative.

La nouvelle génération distingue très bien la vanité des apparences politico-mondaines de la réalité exigeante de l'entreprise. L'effacement du "baron", la montée du "boss", voilà un glissement furtif qui va bien au-delà des apparences et change profondément la PQR.

Les fauteuils de direction sont, il est vrai, de style encore très varié ! La tradition a ses grandes figures : Michel Bavastro, Maurice Bujon, Madame Baylet. Ils ont, ils ont eu, un rayonnement national en imposant, parfois vigoureusement, des rapports de force avec le pouvoir, menant combat dès qu'ils redoutaient un coup de main sur les avantages acquis par la PQR au nom du rayonnement qu'elle assure à la démocratie. Ils surent lever les troupes pour des croisades en terre sacro-sainte de la publicité criant sus, par exemple, aux infidèles de la radio ou de la télévision dès qu'ils s'approchaient trop près (pardon) du Saint-Sépulcre du marché publicitaire.Ils conservent une magnifique vigueur qui ne laisse nullement suspecter leur âge. On ne peut ignorer pour autant qu'ils sont, comme fondateurs historiques, au carrefour d'une évolution, qu'elle se pose en termes de succession ou "d'intrusion". Que le cercle de famille demeure réservé aux "fils à papa" comme l'écrivaient avec humour deux d'entre eux, ou qu'il s'élargisse aux nouveaux managers venus d'ailleurs, le choix n'est pas neutre.

En matière de successions, quelques lignes directes - Chadé, Brémond... - ont été brisées. D'autres, plus nombreuses, offrent de belles perspectives à la tradition familiale. De F.-R Hutin à Marguerite Puhl-Demange en passant par J. Saint-Cricq, C. Bujon, J.-P. Coudurier ou J.-F. Lemoîne, la preuve est faite que la naissance n'est rien sans l'exigence du talent, du travail et du courage. "Combien de remarques, d'interjections, de préjugés, nous ont choqués ou blessés pendant notre adolescence", écrivaient F. Archambault et J.-F. Lemoîne. "Tel intellectuel, qui prétendait que nous n'avions pas à nous soucier de notre avenir avec les magots de nos familles, ne contredisait pas tel publicitaire qui affirmait que faire des études supérieures ne servirait à rien."

Quand le fondateur disparaît, quand la succession provoque des glissements de capital ou carrément une cession, les séismes sont parfois importants. Pour s'en protéger ou pour les assumer, pour "monter au créneau" comme l'on dit, la PQR a vu entrer dans ses rangs, depuis une dizaine d'années et dans la foulée d'une "technique Hersant", ces nouveaux managers que les traditionalistes appellent aussi les "mercenaires", chargés d'un sauvetage ici et d'une restructuration là.

Ils sont énarques, normaliens, HEC, polytechniciens parfois, moins de quarante ans, idées et dents longues, créatifs et fonceurs, adaptés à la tâche du moment avec quelques analyses claires sur le management, le marketing, le reporting et les tableaux de bord. En plus, ils sont généralement "sympas" et ils apportent un élément nouveau qui ressemble beaucoup à de l'humour. Dans une de ses nombreuses enquêtes, Jean-Marie Charon - un des meilleurs experts de la presse - a trouvé dans le groupe Amaury : cinq HEC, un ESSEC, un ESCP, deux polytechniciens, deux écoles de commerce de province et un MBA. Quant aux origines sectorielles, six viennent de la grande consommation, cinq de la publicité, deux de la presse périodique.

Il sera intéressant de voir si cette évolution, qui peut encore s'accélérer au fil de prochaines échéances dans tel ou tel titre, ira jusqu'au bout de sa logique en banalisant complètement l'entreprise de presse au rang d'industrie de journaux. Les fondateurs de la Libération ont toujours défendu une certaine idée de la PQR. Avec ses vieux principes et ses indignations intéressées, mais en n'oubliant pas l'essentiel : être libre de faire un journal, disposer des moyens de cette indépendance.

Comment mieux garantir cette éthique qu'en étant journaliste-manager, l'homme de lettres et de chiffres ? Si l'on regroupe les titres actuels de la PQR par familles, la majorité sont animés par une direction d'origine gestionnaire généraliste (avec un peu de banque et de publicité), très rarement par des techniciens, et pour plus du tiers par des journalistes. Journalistes François-Régis Hutin, Jean-François Lemoîne, Jean-Louis Prévost, René Bonjean, Claude et Marguerite Puhl-Demange, Maurice Bujon ; encore et toujours journalistes Michel Bassi (*Le Méridional*), Marc Carré (*La République du Centre*), Michel Grillet (*Charente Libre*), Daniel Jubert (*Presse de la Manche*), Alain Gascon (*L'Echo de Chartres*). Sans oublier le plus petit des "grands", Richard Lavigne (*Dordogne Libre*).

Nul jusqu'ici n'a trouvé étonnant que des journalistes et des gestionnaires, les deux liés et nécessairement confondus, assument la relève en accordant un poids équivalent aux deux termes d'entreprise de presse. Entreprise bien sûr avec ses rigueurs, ses mutations, ses adaptations à un marché. Entreprise qui "produit", évidemment, mais de la "presse", espèce rare et éphémère, où il faut aussi vendre un peu d'intelligence, de connaissance et de générosité.

Journalisme : du constat au témoignage

Vendredi 2 janvier 1931, comment *La Petite Gironde* voit-elle l'actualité ? François Porché fait l'ouverture : les premières colonnes en haut à gauche. Il n'a pas fait de déclaration fracassante devant la Société des Nations, F. Porché ; il ne s'est rendu coupable d'aucun crime passionnel et il n'a aucune idée de la santé de l'économie régionale. F. Porché parle des "Français et des animaux" ; pour s'interroger longuement sur l'attitude hostile de ses compatriotes à l'égard de ces charmantes bêtes, tout en citant Malebranche au passage. Deux colonnes. A côté, une photo du futur paquebot géant (trois cheminées) que la Cunard fait construire en Ecosse. Deux colonnes encore sur l'état de santé du maréchal Joffre (à vrai dire "alarmant") et, enfin, la victoire de l'équipe de France de rugby sur celle d'Irlande grâce à un malheureux petit essai.

Ensuite, toujours à la "une" : une rubrique "A travers la science", des cadavres de soldats identifiés à Verdun, Mussolini au théâtre, une photo de nonce apostolique se préparant à présenter ses vœux à Gaston Doumergue, quatre nageuses hollandaises qui "viennent de battre de nombreux records en Afrique du Sud" et... l'arrestation, à Paris, d'un chanteur d'Opéra dont le carnet de chèques n'était plus en mesure avec son compte en banque. La suite de la lecture est aussi instructive. Six grandes pages, au graphisme très serré. La page deux continue à se pencher sur les misères du monde tandis que la dernière s'intéresse à l'agriculture, mais d'une manière très générale : "Evitez les œufs à coquille mince", "Soignez vos prairies naturelles et artificielles" et, déjà (!), "Rendez l'élevage des veaux plus rémunérateur". Bordeaux, enfin, sur un peu plus d'une page : la Garonne est en crue, mais le communiqué de dix lignes ne fait l'objet d'aucun traitement journalistique. C'est la clôture du centenaire de Mistral, et un pauvre homme s'est électrocuté à Bègles.

"Le plus fort tirage des journaux de province" vient de nous fournir la première pièce du dossier des "contenus" de la PQR : six pages dont deux seulement consacrées aux nouvelles locales, peu de publicité, un traitement linéaire de l'information. Le tout pour 25 centimes. Voici la seconde.

Mardi 9 mai 1989. *Nice Matin* affiche vingt-huit pages dont quatre en quadrichromie. Hormis une information sur la navette Atlantis et la célébration du 8 Mai, qui est à la fois générale et locale, la "une" est consacrée à des évènements qui ont la couleur du pays : Monaco contre Orléans ; de la moto au Cannet, les recherches autour d'un enfant disparu au-dessus de Nice, Anthony Quinn à Cannes. Puis deux pages magazines sur la Côte d'Azur, huit sur Nice et la région, deux pages "Nation" et "Monde", cinq pages de sport à dominante régionale (Après le Grand Prix de Monaco, Toulon en rugby...) La dernière page est "sensibilisée" à l'environnement méditerranéen avec un fait divers drôle dans le Simplon Express et les coulisses du Festival de San Remo.

Il faut bien se garder d'avoir la prétention de réduire à quelques traits un journal, sa structure et sa démarche. C'est, plus modestement, d'un instantané qu'il s'agit ici, afin de mesurer la distance parcourue en un demi-siècle par la PQR. Tout semble s'être déroulé comme si, au fil des ans et en particulier ces quinze dernières années, elle s'était révélé à elle-même sa pleine identité régionale.

Avant 1939, elle devait conquérir son terrain en concurrence avec la presse nationale. La radio était quasi inexistante et le monde bougeait. L'approche de l'information était obligatoirement "mini-planétaire". Avec une longue-vue sur le monde et une loupe sur le département, les régionaux étaient parvenus à remonter le peloton national en 1940.

L'Occupation détraque le système national-régional. Priorité est donnée aux nouvelles de survie. Les autres se nourrissent de propagande. 1944, la France se libère village par village. Chaque fois que les circonstances le permettent, une "feuille" vient chanter la liberté et châtier les traîtres. Très vite, il faut organiser l'existence quotidienne. Au journal de préciser les rationnements et les tickets. Au journal d'expliquer comment la vie locale va se reconstruire, politique, économique, sociale, humaine.

Cette presse est foisonnante, mais elle n'a pas la possibilité de retrouver les "contenus" d'avant 1940. Pas pour longtemps. Dès les années 50, alors que les conditions de fabrication et la fourniture du papier s'améliorent, les gains de pagination bénéficient à l'information régionale et locale. En 1953, les Rochelais pouvaient lire une page en moyenne sur leur ville dans *La France, Sud-Ouest, La Charente Libre* ou *Les Nouvelles*. En 1990, ils en ont quatre à cinq fois plus dans *Sud-Ouest* et *La France*. Le "glissement furtif" vers la grande identité régionale revendiquée n'est pas terminé. On le voit à un signe. Dans les années 60, la montée de l'information locale à la "une" n'est ni évident ni systématique. Toutes les nouvelles sont mesurées à la même aune. On comprend que ce critère n'incite pas un secrétaire de rédaction, souvent loin du terrain, à considérer qu'un accident de voiture dans le département est plus important pour ses lecteurs qu'un tremblement de terre au Chili.

Le dernier pas vers l'équilibre délicat entre la hiérarchie objective de l'information générale et la sensibilité territoriale d'un évènement local sera franchi dans les années 70. Premier indice visible : la plupart des régionaux ont adopté une règle simple en réservant systématiquement une "fenêtre locale" en tête de une. Elle peut prendre la forme de streamers au-dessus du titre, ou carrément assurer trois ou quatre colonnes en tête. Un grand régional se fera même un devoir de changer l'info à chaque édition afin de mieux coller au terrain. La concurrence peut même conduire à localiser jusqu'au titre. On a vu que *Nice Matin* s'appelle *Le Var* dans le département du même nom et *Corse Matin* dans l'Ile de Beauté. On n'est jamais trop complice de ses lecteurs.

Parallèlement à cette ascension générale de l'information régionale, un mouvement un peu différent s'est produit dans la conception même de l'information locale. Sans crier gare, la PQR est passée du journalisme de constat au journalisme de témoignage, du PV de gendarmerie à l'enquête qui éclaire l'actualité. Sauf exceptions toujours... notables, les arbres de Noël sont morts, les donneurs de sang ne sont plus méritants, les actes de probité ne justifient plus de félicitations, on ne sait plus quelle est la couleur de la robe de madame la sous-préfète et il n'y a plus de lâcher de pigeons à l'amicale Saint-Marinoise, dont l'actif et dévoué président est M. Dupont. Bilan positif : une qualité rédactionnelle nourrie de rigueur, de clarté et d'honnêteté. Tout aussi positive cette démarche journalistique qui précède et explique l'évènement, qui enquête, éclaire, soulève les problèmes en suggérant souvent des solutions. Bref, une information garantie par l'éthique des journalistes, mais consciente en même temps de sa responsabilité dans le tissu environnant.

Bilan négatif : la difficulté (par refus justifié de l'ancienne méthode du "constat") à distinguer le fait de l'environnement des faits. On raconte sa vision de l'évènement plus qu'on ne la rapporte dans son simple appareil. La tendance à "l'écriture" a été un enrichissement nécessaire. Mais heureusement le Centre de formation et de perfectionnement des journalistes maintient dans son programme une session : « Ecrire pour être lu. »

Quant à la "microlocale", elle a largement amorcé son retour. Elle est simplement débarrassée de ses habits institutionnels pour revenir à ces petits évènements de la vie, qui font que la province - contrairement à Paris - est encore préservée de l'anonymat et de l'indifférence. Car, de tout temps, elle a aimé se raconter.

Journaliste en province

Cet intertitre n'est pas innocent. Il est bien écrit : journaliste "en" province et non pas journaliste "de" province. Simplement pour souligner qu'il n'existe qu'un seul journalisme confronté à des situations et des missions diverses, comme il ne se trouve qu'une vocation et qu'une ferveur, que l'on soit nonce apostolique ou curé de campagne. On ne peut pas donner des galons ou des classes en fonction d'un lieu, sans nier les vérités premières de ce métier qui est plus authentique dans l'humilité (ne pas confondre avec l'anonymat) que vêtu des paillettes du show-bizz.

Avant de devenir romancier à succès, Denis Tillinac a décrit son expérience de jeune journaliste en Corrèze. Dissertons à partir de deux citations. La première : « Je suis un journaliste, et un journaliste surtout local n'a ni conscience ni opinion politique. » Tout à fait vrai qu'il ne doit être en rien le propagandiste d'un clan ou d'un parti, et tout à fait faux qu'il lui faille abandonner sa conscience au vestiaire. C'est bien au contraire cette conscience-là, ou - si l'on préfère éviter les grands mots - cette science de l'homme qui est indispensable à la qualité de sa démarche. Qu'il sache, une fois pour toutes, qu'il est témoin à la barre de l'actualité, ni juge ni procureur (mais pourquoi pas avocat), et qu'il s'est juré d'écrire sans haine et sans crainte. Et Denis Tillinac le comprend bien, qui poursuit : « Plus qu'aucun autre, le localier doit savoir garder ses distances, affirmer son désengagement. En même temps, il doit être introduit partout. » Nous voici de la théorie à la pratique. Qu'attend-on du journaliste en province et comment le pratique-t-on ? Un solide routier des locales Jean Tibi (Saint-Etienne) répond : « Voilà ce qu'il faut à ma province : un journalisme tonique qui réveille en nous les grandes jubilations créatrices, le goût d'une prose passionnée d'images vraies, libérée du carcan intellectuel et des chaînes salariales, ouverte à toutes les inventions du réel. »

Définition idéale ? Peut-être, mais que l'on veuille bien regarder de plus près l'évolution de la PQR. Sa richesse a été mille fois décrite : c'est le trésor enfoui au plus profond de chaque commune, ses milliers de correspondants, "palpeurs" attentifs et sensibles d'une vie locale qui, sans eux, aurait la grisaille de l'anonymat et de l'abandon. Le trésor est là, bien entretenu en général. Beaucoup ont su le faire fructifier au fil des années en professionnalisant l'artisanat, en affinant la matière brute venue du sol. Pour cela, la PQR n'a cessé, ces dernières années, d'améliorer la quantité et la qualité de ses rédactions en réponse à deux attentes convergentes : celle des lecteurs qui souhaitaient autre chose "qu'un mur sur lequel on affiche", comme le dit Henri Amouroux, et celle des journalistes qui sont passés de l'information constat au journalisme d'investigation. Conformiste, douillette, "aux ordres", la presse de province ? Qui a "sorti" l'affaire Luchaire ? *La Presse de la Manche* qui, quinze ans avant, avait tu le départ des vedettes de Cherbourg. Qui a fait son travail en professionnel, froid, ouvert, neutre, dans l'affaire des fausses factures de Nancy ? *L'Est Républicain,* au grand dam d'un de ses principaux annonceurs... et actionnaire. Qui a mené campagne contre la peine de mort ? *Ouest-France.* On en oublie forcément et peut-être de meilleurs. Il y a 350 journalistes à *Ouest-France,* 250 à *Sud-Ouest* ou à *La Voix du Nord.* Plus ou autant qu'au *Monde.*

Première révolution, donc, celle d'un journalisme responsable.La deuxième est venue épauler la première. Pendant plus de vingt ans, la rédaction d'un journal de province a vécu au rythme des décisions du siège central. Là où était la rotative, se trouvaient la rédaction en chef et les secrétaires de rédaction, qui "centralisaient" toute l'information et la mettaient en page sans toujours avoir la sensibilité locale de l'évènement traité.

Progressivement un processus de décentralisation a abouti à rapprocher totalement l'évènement et sa mise en valeur, du lieu même où il se produit et où l'on peut le mieux en mesurer la résonance. A côté de la structure traditionnelle de l'état-major rédactionnel, indispensable à la coordination et à l'homogénéité journalistique, à la gestion des hommes et à la définition des grandes orientations, un poste fort est né dans les années 70 : le directeur départemental (ou chef de l'agence départementale). Pour reprendre une image d'un précurseur dans ce domaine, Jacques Lemoîne, le journaliste en charge d'un département est, toutes choses égales par ailleurs, comparable à un préfet. Il représente sur le terrain l'ensemble des forces du journal : la rédaction bien sûr mais aussi la vente et la publicité. A lui d'animer son équipe de localiers, mais aussi d'administrer les charges de son agence, les notes de frais... A lui, souvent aujourd'hui, d'être le rédacteur en chef des pages de son édition, composées et maquettées auprès de lui, sur place. A lui, pour tout dire, d'aller de la naissance de l'information à son épanouissement définitif, celui que jugera le lendemain le lecteur, son voisin.

On a souvent parlé du journaliste local "polyvalent" critique d'art, analyste du conseil municipal, témoin blasé du 14 Juillet et du 11 Novembre. Le "patron" départemental (dans certains grands régionaux il n'est pas rare que l'ensemble des services représente plus de 30 personnes sur place) est un chef d'entreprise en miniature. De son talent professionnel nécessaire pour animer une équipe de terrain, des vertus psychologiques utiles pour comprendre son département mais aussi les personnels divers qui l'accompagnent, de ses capacités à gérer, à coordonner, dépend aujourd'hui la qualité d'un quotidien régional dont il est plus que jamais la bouche, les yeux et les oreilles. C'est si vrai qu'un lecteur averti peut assez aisément, dans un même journal, trouver une édition "institutionnelle" et une autre plus dynamique et responsable, selon que l'équipe journalistique aura appris à être "ni manipulée ni manipulatrice".

C'est assez dire combien la formation des journalistes est importante. Le choix d'une école ou de l'apprentissage sur le tas ne devrait pas ouvrir débat ; un savant dosage des deux assure renouvellement et tradition, évolution et mémoire culturelles d'entreprise. Si bien qu'il est difficile aujourd'hui de devenir journaliste "parce qu'on ne sait pas quoi faire". Deux à quatre années d'études (DEUG, licence, diplôme du CFPJ ou de l'ESJ, Strasbourg ou IUT de Tours et Bordeaux entre autres) sont la plupart du temps devenues le passeport indispensable pour espérer entrer dans ce métier "complet".

Si le candidat apparaît pourvu d'une belle curiosité qui est proche de l'émerveillement et voisine d'un bon raisonnement ; s'il sait que la vérité est un rêve fou, mais que l'honnêteté doit être une réalité de tous les jours, peut-être a-t-il la vocation. Et la vocation est toujours utile pour partir en terre de mission.

Le matin des commerciaux

Voici le grand matin des commerciaux ; l'aube rayonnante de ceux qui savent étudier un marché et l'investir ; le jour de gloire des vendeurs.

Il ne viendrait à l'idée de personne d'aller demander à la reine d'Angleterre sa meilleure recette de sanglier à la menthe. Eh bien, imaginez un inconscient capable de s'informer auprès d'un responsable de presse - il y a à peine quelques années - des méthodes adoptées pour "vendre" son "produit" sur le "marché". Profondément choquant.

Indispensable à l'animation de sa région, la PQR se considérait en effet comme "prévendue". La fidélité, l'habitude, le besoin impérieux, le service rendu constituaient une chaîne qui aboutissait immanquablement chez le marchand de journaux. De même, la publicité connaissait-elle ce point de passage obligé. On se souvient de la grève de *Sud-Ouest,* en 1972, qui perturba le trafic du port de Bordeaux, parce que l'embauche des dockers n'était plus annoncée, désorienta la vie politique et économique de l'Aquitaine soudain privée de son oxygène quotidien. Jusqu'aux enterrements privés de gerbes, de regrets éternels et de foule puisque l'avis d'obsèques n'avait pas fait son office de chœur antique.

Les rapports étaient confiants et affectifs avec les lecteurs, courtois avec les annonceurs qu'on honorait volontiers d'un déjeuner, comme on savait s'inquiéter de la coqueluche du dernier-né d'un dépositaire. Tout se vivait, tout s'arrangeait d'homme à homme. La vente était côté cœur, là où se tisse l'affection d'une famille du papier, réelle et chaleureuse. Pas trop loin, non plus, de l'endroit où se situait le portefeuille publicitaire. Dans ce paysage équilibré de professionnels mi-artisans, mi-artistes, surgirent les Indiens.

Comme le marché publicitaire s'appuyait sur un verrouillage de bon ou mauvais aloi, que les prix ignoraient souvent les bienfaits de la concurrence, les "gratuits" envahirent les plaines régionales à grands cris. Dans les années 70, la PQR vit fondre son capital de petites annonces ("vend cyclomoteur bon état"; "cherche femme de ménage"), et s'émanciper les petits commerces que ses tarifs dissuadaient. La perte était double : financière mais, finalement beaucoup plus grave, un déficit de communication lourd de conséquences entraîné par la disparition des petites annonces. La révélation était là : la publicité pouvait être une information indispensable aux lecteurs, au même titre que toutes les informations services. Premier constat.

Le deuxième fut tout aussi préoccupant. A force de se considérer comme prévendue, la PQR (on fera exception pour les journaux de l'Est traditionnellement portés à domicile) était devenue "quérable" et non "portable". Ce fut la deuxième révélation : il fallait, d'urgence, glisser le journal sous les portes de bonne heure, le matin avant que la famille ne se disperse pour la journée. L'appétit d'information devait coller à l'heure du laitier.

On devine les enjeux révélés par ce double constat. Les conséquences immédiates furent évidemment une préoccupation pour les directions. La réflexion s'inspira des mêmes principes professionnels que ceux qui dictèrent l'évolution des contenus rédactionnels. Plus question de subir une politique venue d'ailleurs ; il convenait de tout assumer, la qualité rédactionnelle comme la diffusion et la commercialisation. La PQR devait procéder à sa révolution culturelle.

Devant la Fédération internationale des éditeurs de journaux, Roger Lavialle, directeur général adjoint d'*Ouest-France,* expliquait : «Pour gagner il faut, bien sûr de bons produits, mais aussi un bon réseau de distribution et un bon, très bon service commercial.» Pour éclairer ce propos, *Ouest-France* pouvait afficher près de 100 000 exemplaires supplémentaires en dix ans et 200 000 en vingt-cinq ans. En un quart de siècle, *Ouest-France* a ainsi enrichi la PQR d'un *Midi Libre* ou d'un *Nice Matin*. Mine de rien.

Roger Lavialle donnait quatre raisons à ce succès. Tout d'abord, une amélioration constante du contenu non seulement en richesse d'information, mais aussi en lisibilité. On avait découvert, d'une manière parfaitement scientifique, qu'un lecteur obéit sans le savoir à quelques règles de comportement. Il lui faut un graphisme clair, des pages construites sur des bases simples et évidentes, de manière à baliser la hiérarchie de l'information.

En second lieu, la distribution. C'est tellement évident que l'on ne sent pas le besoin d'en faire une thèse en Sorbonne. Erreur, une distribution peut être dormante ou active. Dormante, elle suit les circuits postaux déficients, les lignes des transporteurs et irrigue le réseau de distribution en bâillant. Dans cette hypothèse, l'essentiel se limite à la mise en place à l'heure et à point nommé. Le lecteur doit faire le reste. La distribution "active" part des mêmes principes, s'appuyant sur l'excellent réseau français de dépositaires et diffuseurs, en les entourant d'une optimisation constante par la recherche de meilleurs circuits de mise en place. Toutes les grandes villes de la zone d'*Ouest-France* sont ainsi livrées par les routiers "maison" avant quatre heures du matin.

L'effort principal, la grande bataille engagée par la PQR, s'appelle le portage. Toutes les stratégies sont bonnes et souvent sont croisées. Dans le cadre d'un effort particulier ou d'une zone sous-pénétrée, le quotidien peut mettre une équipe de prospection qui s'efforcera de fidéliser par portage souvent confié ensuite au dépositaire. Le dialogue avec les professionnels du réseau de vente permet aussi d'organiser le portage avec le diffuseur qui gère ainsi lui-même la totalité de la clientèle. La PQR sait exploiter cette voie. Le porteur pose néanmoins problème. Travailleur indépendant, payé à la commission (15 % en général), il part sur son cyclo entre 4 heures et 5 heures du matin, qu'il pleuve ou qu'il vente, pour distribuer 200 à 500 "canards". Au mieux, il finira entre 11 heures et midi. L'après-midi, il lui faudra remonter la liste de ses clients pour encaisser. Selon les structures économiques et sociales, le portage est un "petit boulot" de deux ou trois heures ou bien un véritable métier, parfois salarié, ou bien un job de marginal avec tous les aléas, ou bien encore une tradition. Dans l'Est, les quotidiens sont portés à plus de 80 %. Le rêve de tout directeur des ventes ! Parmi les initiatives audacieuses et courageuses en faveur du portage, celle du *Télégramme de Brest* étonna mais réussit. Porté, le journal coûte 10 centimes de plus qu'au kiosque. Depuis cinq ans, le journal de Morlaix a pu mettre des moyens importants pour améliorer et accroître ce service payant. Près de 50 % des exemplaires diffusés.

Deux ultimes conditions pour bien vendre : que le prix ne soit pas dissuasif, et que les opérations de promotion sur le terrain soient en synergie totale avec la rédaction.

Préoccupée par la stagnation de sa diffusion globale qui cache, ici et là, des situations de baisse, la PQR n'a guère le choix : il lui faut transformer les non-lecteurs ou les lecteurs occasionnels en compagnons quotidiens. La route est longue.

Celle des publicitaires est plus large. Le marché publicitaire français, dans la mesure où il apparaît encore sous-développé, offre un potentiel que la majorité des titres s'efforce aujourd'hui de mettre à jour.

Longtemps la PQR a avancé main dans la main avec l'agence Havas, à la compétence de laquelle elle s'était remise du soin d'assurer son portefeuille publicitaire. Pas de personnel à gérer, une politique arrêtée en commun sur des bases préparées par les spécialistes de l'Agence, et un chèque à la fin du mois. En 1990, Havas revendique 18 titres sur la soixantaine qui subsistent. C'est une profonde évolution stratégique qui a connu deux phases. D'abord un certain nombre de titres - tel *Sud-Ouest* - ont considéré qu'ils étaient les mieux placés pour connaître et exploiter le marché local. Une séparation a donc eu lieu. Parallèlement était créé "Régions Communication" où Havas retrouve *Ouest-France* et *Sud-Ouest,* éloignés de son sein, *La NRCO* et *La Montagne* (dont elle est régisseur) pour gérer la publicité nationale, ce que nous appelons "l'extra-locale". Le partage est clair.

En améliorant son "produit", en assumant sa politique commerciale d'une manière volontariste, la PQR apprend "à vendre" sur un "marché". Il lui arrive même d'être choquée de ne pas l'avoir fait plus tôt.

Métiers et hommes, hommes ou métiers ?

L'entreprise de presse, précisément parce qu'elle est une entreprise, a forgé de nouveaux métiers sous de nouveaux hommes. Philippe Viannay, visionnaire du journalisme, avait bien disséqué les implications de cette question pendante fondamentale : « L'entreprise de presse, support majeur de notre propre entreprise, m'est souvent apparue mal gérée. Sans parler de ce que tout le monde sait sur les modernisations et les économies nécessaires, sur le coût excessif des journaux et sur l'effet pervers des facilités fiscales, je voudrais souligner combien j'ai été fréquemment choqué par le peu d'attention apporté au recrutement et à la formation des hommes. L'industrie, quand elle est performante, sait que la seule richesse est la qualité des personnels et que la motivation majeure pour eux, en plus du succès de l'entreprise, est le profil de leur carrière et ce qu'ils peuvent espérer en réponse à leurs efforts de production et de valorisation individuelles et collectives. Sans doute le temps n'est plus où un Richerot osait me répondre, devant les élèves en visite au *Dauphiné libéré,* comme je m'étonnais qu'il ne nous parle que de ses imprimeries et pas des journalistes, "Oh, de bon journalistes, ça peut pas nuire". »

Le "grand soir" des techniques

Un autre évènement important est inscrit aujourd'hui dans l'évolution des journaux, des rédactions et des ateliers de fabrication. Il y a vingt ans déjà l'informatique avait permis de passer de la composition dite chaude (les lignes de plomb sorties par les linotypes) à la "froide" (du papier sur lequel le texte est photocomposé sur instructions d'un ordinateur). Première révolution d'ordre strictement technique, devant laquelle les journalistes étaient demeurés absents ou indifférents. L'informatique était une chose trop sérieuse pour qu'elle puisse se confier à des "plumitifs". Et les plus purs esprits des rédactions, de leur côté, dédaignaient superbement ces nouvelles techniques qui ne pouvaient que polluer leur créativité. L'artisan ne se préoccupait pas de l'outil mis à sa disposition, et l'outil ne s'inquiétait que fort peu de savoir à quoi et comment il servirait. Imaginez un menuisier qui ne choisirait pas un rabot à sa main. L'informatique, dans son élan, a nourri le débat sur le tracé de cette frontière infranchissable (sur le plan technique et non pas humain rappelons-le) entre journalistes et fabricants. Les performances techniques, la simplification de l'usage et le bon rapport économique ouvrent aujourd'hui un nouveau chemin qui permet d'aller du texte du journaliste (frappé sur son clavier mieux que sur sa vieille machine à écrire) à la mise en page automatique. Simples comme bonjour les informaticiens ! Ils découvrent la fission de l'atome et s'étonnent ensuite de voir des champignons nucléaires pousser dans les ateliers...

Au moins, jadis, les choses étaient-elles simples. Le journaliste rédigeait son papier, le secrétaire de rédaction préparait la copie avec les titres et le tout partait à l'atelier. La frontière était claire. Nul ne la traversait sauf pour aller boire un coup ensemble au "Bar de la Presse", à côté.

Première nouveauté lorsque les secrétaires de rédaction sont allés jusqu'à la maquette de page qui est la traduction pure et simple de la hiérarchie de l'information décidée par la rédaction. Au-delà de la pure écriture, les journalistes avaient appris, en effet, qu'il existe des critères de mise en page qui conditionnent la lisibilité, le rythme des séquences d'information, la personnalité de leur démarche rédactionnelle. L'artisan connaît désormais l'importance du rabot. Cette maquette demeure encore au centre de bien des débats que les divers titres de PQR concluent dans des directions différentes. Appartient-elle aux journalistes ou aux metteurs en page ? Où est la séparation ? Faut-il continuer à réfléchir en terme de frontière ?

Dès 1984, Roger Cotel, "empereur" de l'informatique rédactionnelle au Centre de formation et de perfectionnement des journalistes s'interrogeait : « Il est essentiel de poser le problème : où s'arrête le journaliste, et où commence le typographe ? Car si l'on ne l'aborde pas, nous aboutirons à une véritable guerre entre deux corporations avec d'un côté les "tricolores" (détenteurs de la carte de journaliste) et de l'autre la FFTL, les ouvriers du Livre. Il faut se pencher sur les fonctions que l'on retrouve dans une entreprise de presse. D'un côté une fonction de conception, de l'autre une fonction de réalisation (...) Jusqu'à maintenant, il y avait la barrière du "marbre" entre les deux fonctions. Demain, je ne sais pas où se situera l'éventuel "marbre". Mais je sais qu'il nous faut dire dès aujourd'hui où se trouvent les fonctions conception et réalisation, quels sont les hommes dont on a besoin pour que ces fonctions soient remplies, et imaginions les passerelles entre ces deux fonctions. Les problèmes catégoriels, en fait on les verra après, lorsque seront redéfinies les fonctions. C'est utopique diront certains ? Je dis moi que c'est la seule solution réaliste.»

Conception et réalisation : quels hommes, quels métiers ? Comme Charlot à la fin de *la Ruée vers l'Or,* l'entreprise de presse avance péniblement, tantôt d'un côté, tantôt de l'autre, au gré d'un pointillé de négociations et de grèves. Car les ouvriers du Livre veillent aux tranchées. Et comment ne seraient-ils pas vigilants s'ils regardent autour d'eux ?

Les rédactions américaines sont informatisées depuis plus de dix ans. En Grande-Bretagne, Rupert Murdoch a réussi le coup de force de Wapping en 1985. «Si les verrous sociaux n'avaient pas sauté à ce moment-là, nous n'aurions jamais pu sortir et faire vivre notre journal», a reconnu un rédacteur en chef de *The Independant,* récent succès de la presse quotidienne britannique.

Les difficultés sont évidemment sociales. En se branchant directement sur l'ordinateur qui compose, la "machine à écrire" du journaliste efface l'étape de saisie technique. Les dépêches d'agence entrant directement dans la base de données, il n'y a plus de composition. Les clavistes voient leur rôle se réduire. Il est vrai que la saisie informatique des textes est devenue d'une telle aisance banale, qu'il y a belle lurette que de bonnes dactylos ont réussi des performances supérieures à celles de certains ouvriers du Livre. Le linotypiste avait une noble tâche qui exigeait un long apprentissage. Aujourd'hui, l'ordinateur a appris le métier. Il sait composer, classer, trier, modifier au gré du journaliste qui reste concepteur. Il est même capable d'aller, tout seul, jusqu'à la mise en page (encore un rêve de riches) et à la copie sur plaque (une recherche toujours expérimentale).

Comment une entreprise de presse, petite ou grande, peut-elle vivre cette révolution interne, sans déchirements, sans drames, dans le respect des hommes et des métiers d'une part, dans l'obligation où elle se trouve, d'autre part, d'améliorer sa diffusion en fabriquant un "produit" de grande diffusion au meilleur prix ?

De retour d'une mission d'études aux Etats-Unis, les rédacteurs en chef et les directeurs techniques du Groupement des grands régionaux, conviés à réfléchir ensemble sur une stratégie globale transfrontière, ont fait un constat intéressant.

Tout en rappelant que le modèle américain n'est pas transposable, ne serait-ce qu'en raison de l'organisation rédactionnelle très différente, Alain Howiller (*DNA*) confirme que la réussite du système d'écriture électronique passe par l'implication forte de la rédaction, le pilotage de la formation par un journaliste et le choix d'un "homme système" rédactionnel. Les effectifs rédactionnels ont augmenté en particulier sous l'effet de nouvelles éditions ou de suppléments que la nouvelle organisation a permis. L'infographie entre en force.

Tout cela peut être plus ou moins vérifié dans les premières entreprises régionales qui ont commencé à franchir le pas : *Le Provençal, Nice Matin, Ouest-France, Le Bien Public, La Charente Libre, Midi Libre,* une liste qui n'a rien d'exhaustif tant certaines démarches se font nécessairement discrètes ou timides.

Officiellement, un accord signé le 14 avril 1986 entre la FILPAC - CGT et le SPQR organise l'adaptation aux nouvelles structures selon trois axes de travail : évolution, reconversion-formation et mesures sociales.

Quelques portes se sont ainsi entrouvertes qui risquent de claquer violemment, si aucun air frais ne vient assainir le dialogue sur la reconversion et les mesures sociales. Les négociations sur la réduction du temps de travail (35 heures ou 32 heures et demie par semaine actuellement), la nouvelle grille de définition des tâches et des fonctions, les conditions de reconversion ou de passerelles sont embourbées. Comparées aux échanges et entretiens que les deux parties mènent avec persévérance depuis près d'un an, les négociations de Pan Mun Jon, qui mirent fin à la guerre de Corée après des mois de face-à-face, apparaissent d'une reposante simplicité.

Y aura-t-il la "guerre" ou les raids meurtriers d'intimidation continueront-ils ? Peut-être le saura-t-on lorsqu'on lira ces lignes. Au moment où elles furent écrites une seule chose était évidente : les techniciens du Livre ne glissent pas vers la nuit des temps, comme les canuts de Lyon dont ils ont parfois les réflexes corporatistes. Mais il faut préparer d'autres horizons.

Les enjeux

La PQR demeure le premier média de France. Jacques Saint-Cricq la définit mieux encore en parlant de "média préféré" des Français. «Non seulement, dit-il, celui dont l'audience - mesurée comparativement par les instituts spécialisés à celle de la télévision et de la radio - est la plus forte, mais aussi celui auquel le public est le plus fidèle. Plus d'un Français sur deux lit, chaque jour, son quotidien régional.»

Mais au-delà de la fidélité, reste la conquête des cœurs; des "cœurs de cible" bien entendu, puisque la PQR a devant elle un vaste champ à défricher. Pour ne regarder qu'à l'intérieur de l'Europe, la France se situe seulement au milieu du peloton des Douze, et ses rotatives impriment, par exemple, deux fois moins de quotidiens qu'au Royaume-Uni. Et quels que soient les indicateurs économiques que l'on consulte, la position est tout aussi médiocre en matière de publicité. L'investissement publicitaire est de l'ordre de 1 % du PIB, comparé à plus de 3 % aux USA et en Grande-Bretagne, plus de 2 % en RFA et en Suède. Même en revenant à notre pré carré hexagonal, la PQR occupe un rang économique qui laisse une bonne marge de progression dans la hiérarchie de la communication. *Le Nouvel Economiste* a publié un classement des 5 000 premières sociétés françaises et européennes. Au chapitre dit des "entreprises de presse" (mais en incluant TV, radio, distribution, imprimeries), le peloton est conduit par Hachette, devant Havas, et les premiers régionaux n'apparaissent qu'en vingtième position pour le chiffre d'affaires. Dès que l'on resserre, par contre, la "focale" sur la région, l'entreprise de presse est souvent parmi les grosses PME, un des premiers employeurs avec des niveaux de salaires élevés, donc un pôle économique important.

Dans ce contexte général, la PQR apporte ses propres enjeux. Comment se présentent actuellement ces fameuses "réalités incontournables" qui doivent fonder - et non freiner comme cela arrive - toute évolution ?

1 - Chaque quotidien est vendu moins cher qu'il ne coûte.

2 - Pour ne pas faire des pertes, il convient de le vendre une seconde fois : aux annonceurs et aux agences de publicité.

3 - Le prix de vente doit demeurer le plus bas possible, afin que le quotidien reste accessible au plus grand nombre.

4 - Le journal est un produit périssable de grande consommation. On n'imagine pas des stocks. Un jour de grève ne se rattrape pas.

5 - L'entreprise de presse est nécessairement "suréquipée". Son matériel de production doit faire face à quelques heures (2,3,4,5) d'activité intense. Il n'existe aucune possibilité d'étalement, mais au contraire un point obligé de surchauffe qui exige : du matériel de bonne technologie et souvent un appareillage doublé pour assurer la sécurité. Un ordinateur "planté" pendant une heure peut engendrer des catastrophes en aval, pendant les heures de sortie et les livraisons.

6 - Un marketing aussi subtil que des prévisions météorologiques. Il faut prévoir l'évènement imprévu, savoir qu'une simple habitude locale comme un simple marché modifient la vente, qu'un été pluvieux sera moins bon...

Des contraintes précédentes, trois enjeux se dégagent :

D'abord le progrès économique : produire moins cher pour vendre moins cher (profitabilité, rentabilité de l'entreprise).

Ensuite le progrès éditorial : adapter sans cesse un produit de grande diffusion en améliorant constamment sa qualité.

Enfin le progrès commercial : développer les recettes publicitaires et perfectionner les méthodes de diffusion.

Produire et vendre moins cher

Comment peut-on multiplier par dix le tirage d'un quotidien ? Réponse : en réduisant de moitié son prix de vente ! Un homme, Léon Delaroche, en a fait, il y a un siècle, la démonstration. En 1880, *Le Progrès de Lyon* stagne à 5 000 exemplaires. Léon Delaroche décide de diminuer le prix de deux à un sou. Trois mois après, *Le Progrès* tire à 50 000 ! L'exemple vaut d'autant plus d'être médité qu'il démontre aussi que la réussite a nécessairement une double base : l'enjeu économique du prix ne prend tout son sens que s'il va de pair avec un pari sur l'amélioration du contenu et la satisfaction des attentes des lecteurs...

Car, après le "sou" qui est le détonateur, l'ascension du *Progrès* sera fondée sur une actualité de légende (Affaire Dreyfus, scandale de Panama), que quelques signatures célèbres suivent dans ses colonnes. Pour un sou on peut se battre pour Dreyfus et lire Zola, Jaurès ou Barbusse. Léon Delaroche a tout simplement inventé - peut-être sans le savoir - le fameux "produit de qualité et de grande diffusion" que la presse écrite cherche comme le Saint-Graal.

La rencontre quotidienne d'un besoin, disons culturel, d'information avec les règles de la production industrielle a jeté, au fil des ans, les bases d'une économie bien particulière.

A l'exception toujours notoire d'*Ouest-France* qu'une politique volontariste et son fort tirage maintiennent au tarif le plus faible de la presse française (3,40 francs), le prix de vente de la PQR, fin 1989, se situe en majorité à 3,80 francs entre des points bas à 3,60 francs (groupe *Sud-Ouest*) et hauts à 4 francs (*DNA, Provençal, Voix du Nord*). Ce que le lecteur paie en moyenne 3,80 francs revient en réalité, toutes charges comprises, à 6 francs environ à l'entreprise de presse productrice. Ce chiffre est relativement variable selon les titres, en fonction de leur tirage, de leurs avantages salariaux, de leurs structures de diffusion. Mais, en ordre de grandeur, le prix de vente au lecteur ne représente que 60 à 65 % du prix de revient. Voici donc un "produit" vendu à perte pour 35 ou 40 % de sa valeur. L'évolution des coûts a été généralement plus rapide que celle des recettes, même si la PQR demeure - heureusement - moins chère à fabriquer et donc à vendre que la presse parisienne.

Les coûts ? Pour le plus gros - 40 à 45 % de ses charges - le quotidien est une entreprise de main-d'œuvre. Dans les frais de fabrication, le prix du papier à fournir aux rotatives représente 12% environ, sachant que ce secteur a plutôt bien stabilisé ses coûts, voire les a légèrement baissés. Un titre régional investit, en moyenne chaque année et par tranche de 1 000 habitants, la valeur de 40 000 francs en rédaction. Quant à la distribution, il est simple de rappeler qu'elle suppose des intermédiaires dépositaires, diffuseurs, porteurs qui sont rémunérés par une commission variable selon les régions et les services mis en place, de 23 % pour un dépositaire central à 15 % pour un diffuseur (le magasin de détail) plus les frais d'expédition et de routage du journal.

Le système des recettes est plus simple. Il comporte deux robinets: la vente et la publicité. Hormis, ici aussi, quelques brillantes exceptions (dans l'Est en particulier) un journal régional vit avec 60 à 63 % de recettes de diffusion et 37 à 40% de publicité. Ces proportions sont considérées comme garantes du bon équilibre de l'économie d'un journal, qui doit fonder la majorité de ses ressources sur la fidélité de ses lecteurs et préserver son compte d'exploitation des fluctuations parfois fortes du marché publicitaire. La PQR a encore du terrain publicitaire à gagner pour aller des 37/40 % vers 45 %, si elle veut cesser d'ouvrir trop fréquemment l'autre robinet: le prix de vente.

Vendu à perte au kiosque, chaque quotidien doit donc être "vendu" une deuxième fois (de l'espace dans ses colonnes) pour trouver sa rentabilité. La PQR consacre en moyenne 37 % de ses colonnes aux messages publicitaires, chiffres à inscrire entre des "mini" de 20 % et des "maxi" de 50 %. Cette alchimie entre le rédactionnel et la publicité permet aux lecteurs de pouvoir payer leur journal un prix, disons, raisonnable. Sans la publicité, la presse aurait difficilement les moyens de conquérir des lecteurs et de se développer. A elle de veiller à ce que cette liberté ne se transforme pas en contrainte.

Fort heureusement, le pays s'est organisé pour aider la presse quotidienne à maintenir une économie qui assure l'information du plus grand nombre. Qu'on les appelle "aides à la presse" ou "aides aux lecteurs", elles ont pour objet de faciliter la circulation des idées. La première d'entre elles date de l'immédiat après-guerre et est bien connue sous le nom de "39 bis". Elle autorise toute entreprise de presse à mettre une partie de ses bénéfices (80 % à l'origine, 60 % aujourd'hui) en crédit d'impôts, à charge pour elle d'investir dans l'outil de production la somme ainsi "économisée" dans un délai maximum de cinq ans. Cet avantage fiscal a indiscutablement favorisé la modernisation de la PQR qui a dû, ces dernières années, procéder à sa révolution technique au prix d'investissements dépassant parfois 200 millions de francs. Enfin, la poste et les télécommunications appliquent des tarifs préférentiels qui, en matière postale, ont tendance à se dégrader, comme le service.

Pour conclure sur les exigences de l'enjeu économique, un regard dans le miroir de nos voisins s'avère éloquent. Un tableau comparatif des prix de vente: France 3,80; RFA 2,90; Japon 2,80; Pays-Bas 2,50; Finlande 2,40; Royaume-Uni et Suède 2,10; USA 1,60. Un autre sur l'évolution du prix du quotidien comparé à celui de la consommation, pour se rappeler le bon vieux temps où le journal réglait sa marche sur celle du timbre-poste. De 1978 à 1982 l'indice du prix de vente de la presse en France a laissé sur place la courbe de la consommation. En partant de la base 100 le quotidien était à 190 en 1983, les prix à la consommation à 170 seulement. En RFA, le journal a aussi décollé de la courbe de la consommation, mais nettement moins (135 pour 125). Quant aux USA, ils maintiennent le phénomène inverse : l'évolution des prix des quotidiens est régulièrement inférieure à la tendance de la consommation.

Certes, la France a eu "l'excuse" d'une inflation forte jusqu'en 1984. C'est insuffisant pour expliquer un dérapage que bon nombre de titres ont entrepris, aujourd'hui de contrôler, en améliorant leur productivité et leur créativité. «On a trop longtemps cru pouvoir affirmer dans ce pays - note le vice-président d'Hachette, Yves Sabouret - que la presse n'était pas un produit comme les autres, ce qui est vrai, et en déduire qu'elle pouvait échapper aux règles de la logique industrielle, ce qui est un non-sens. En réalité, la presse n'assumera son avenir qu'en jouant à fond le jeu de l'entreprise. Les contraintes qu'elle doit s'imposer sont le prix non seulement de sa liberté, mais de son existence.»

Publier pour être lu

Les contenus se sont progressivement éloignés de la monotonie empesée de l'institutionnel pour faire vivre une information plus proche des problèmes quotidiens et prendre une distance qui peut aller jusqu'à l'irrespect. Editeurs et journalistes savent qu'ils tiennent là le deuxième enjeu fondamental : comprendre et s'adapter à l'évolution de la société dont ils forment le miroir. A eux de ne refléter ni images complaisantes, ni visions déformées. Bref, publier, écrire en connaissant bien ses interlocuteurs, ses attentes, ses manies du moment, ses craintes, ses blocages. Non pas pour flatter ou manipuler, mais pour trouver la bonne porte de communication entre les hommes.

Cet enjeu éditorial, les journaux en dessinent les contours avec de plus en plus de précision. Dès le début des années 60, François Richaudeau apporte les premiers éléments de connaissance sur la lisibilité, c'est-à-dire la manière dont tout ou partie d'un journal est perçu. La conclusion conduit à constater que "se faire plaisir" n'a pas forcément le même sens selon que l'on est rédacteur ou lecteur. Il convient d'adopter une écriture efficace (du bon français, pas de "littérature"), d'adapter l'article, dans sa longueur et sa structure (introduction, paragraphes, mots...), au processus de lecture et de mémorisation et non l'inverse. Traduction dans vos journaux : l'apparition de l'apprentissage des connaissances ou, si l'on préfère, de la vulgarisation.

Il faut aborder des sujets ardus, en médecine ou en technique par exemple, et trouver les mots simples pour expliquer. L'investigation devient polyvalente : sciences, industrie, justice... Parallèlement apparition des textes courts, des mises en page "habillées", de relances, de rebondissements de l'intérêt du lecteur qui n'est jamais acquis en continu.

Dix ans après, au début des années 70, Jacques Douel développe vraiment une approche quasi scientifique des comportements des lecteurs avec les enquêtes "Vu Lu". Pour des motivations publicitaires d'abord et rédactionnelles ensuite, il livre un véritable "scanner" du lecteur type de la PQR. Celui-ci parcourt son journal en quelques minutes, puis après une vision globale mais superficielle, il sélectionne ce qu'il va lire à fond. On découvre qu'il a sa personnalité, qu'il accepte ou rejette, qu'il juge et choisit. On l'imaginait chien fidèle devant "son" journal, on le découvre compagnon de route à convaincre et à conquérir. « Le mot d'ordre - écrire court - traverse la PQR, souligne Loïc Hervouët, alors professeur au CFPJ, et irrigue les refontes de mises en page. La modestie d'auteur est de retour. »

En affinant toujours les outils de connaissance du lectorat, en y ajoutant la dimension sociologique, la COFREMCA avec Gérard Demuth et le Centre d'études des comportements avancés (une cellule conçue par Havas et pilotée par Bernard Cathalas) achèvent au cours des années quatre-vingt de donner aux éditeurs et aux journalistes de véritables grilles de lecture... des attitudes et des attentes de leur public.

Entre rédacteur et lecteur, on doit se parler plus directement, avec une bonne complicité d'intelligence. L'écriture est donc musclée, "décalée" de l'institutionnel, en même temps qu'argumentée et responsable.

A l'orée des années 90, l'enjeu rédactionnel dispose de plusieurs atouts :

1. Objectifs de fond :

- Enrichir sans cesse les relations d'affectivité avec le lecteur. De nouvelles rubriques doivent suivre l'évolution du mode de vie : développement des infos TV, bricolage, disques, loisirs... Le service rendu se multiplie dans l'information service qui est une aide à la vie quotidienne. Chercher à revivifier l'interactivité journal-lecteur née avec le courrier des lecteurs et que des moyens nouveaux comme la télématique peuvent dynamiser. Ainsi *La Voix du Nord* dialogue-t-elle chaque jour par minitel avec une partie de son lectorat qu'elle invite à réagir sur la question du jour.

- Fouiller les "locales" pour être toujours plus près du véritable canevas de la réalité. Les éditions doivent se multiplier afin de susciter la meilleure expression par clocher ou par quartier. Au début des années 80, *La Charente Libre* alla même jusqu'à implanter une "rédaction volante" dans une camionnette qui allait de quartier en quartier d'Angoulême, à l'écoute des habitants.

2. Objectifs de forme :

- Le graphisme est un guide de lecture. La construction visuelle souligne une hiérarchie de l'information et la structure. La mise en page doit offrir un accès facile et direct à tous les niveaux d'information. La typographie, dépouillée et lisible, sert de points de repère dans la page.

- Pour la première fois dans l'histoire de la PQR, de grands noms du graphisme sont venus réfléchir avec les rédactions, les invitant à intégrer le "langage de l'œil". Maggiori, après *Sud-Ouest* (avec Jean Bayle), a aussi habillé *Libération* et *Le Point*. Au CFPJ, Denis Polf et Claude Furet ont aidé à repenser contenus et maquettes du *Courrier Picard* (avec A. Ganassi), de *La Charente Libre*, de *La République du Centre*...

- La couleur n'a pas toujours trouvé sa juste place. Il lui arrive encore de hurler à la "une", comme une douairière trop pomponnée. Les quadrichromies apparues en 1970 avec les premiers offsetistes (*République du Centre, Bien Public, Var Matin, Charente Libre* et le *Télégramme de Brest*) se sont progressivement généralisées, la publicité n'étant pas étrangère à la demande de couleur. Réflexion souhaitable aussi sur les formats, la PQR ayant peu innové en ce domaine hormis *Le Courrier Picard* et *Le Parisien* passés au "tabloïd". Il convient d'ailleurs d'évoluer avec prudence car les lecteurs n'aiment guère le bouleversement de leurs habitudes et sont parfois longs à s'habituer à une nouvelle formule.

Etre compagnon de route du lecteur, lui proposer les éléments de son choix sans choisir pour lui, être son complice pour regarder, écouter, comprendre, aller l'un au-devant de l'autre sans se faire de concessions, voilà aussi de beaux enjeux. Et il semble que la presse écrite soit, dans ce domaine, la meilleure réponse.

Conquérir le marché

Outre le contenu, un directeur de journal veille au tirage (nombre d'exemplaires sortis des rotatives) et à la diffusion (les numéros effectivement vendus, la marge entre les deux - bouillon - étant pour la PQR de l'ordre de 10 %). Avec les services commerciaux, il regarde aussi son taux de pénétration, c'est-à-dire le rapport entre sa diffusion et le nombre de foyers touchés. 50 000 numéros vendus à 100 000 foyers, c'est bien. Un sur deux, cinquante pour cent, c'est la ligne de bon niveau que la PQR atteint (voire dépasse) en certains lieux privilégiés qui ne sont pas nécessairement à fort pouvoir économique. Au pays du rugby, du foie gras, des pins et des dunes océanes, dans les Landes, *Sud-Ouest* réalise un taux de 52 %, supérieur à celui de l'agglomération bordelaise. Mais en moyenne générale, la PQR a une pénétration qui varie entre 40 et 45 %. Les sociologues font leurs commentaires : par exemple la "décohabitation", phénomène des années 70 qui traduit l'installation des enfants hors du domicile parental beaucoup plus fréquemment et plus tôt. Ils sont sortis de la cellule familiale sans entrer immédiatement de plain-pied dans la société. Ils n'ont pas eu le temps d'acquérir certains "rites" comme la lecture de leur journal, et leurs attentes de jeunes - étudiants ou ouvriers - ne passent pas par les canaux traditionnels de l'info-service ou de la microlocale. Ce sont des lecteurs potentiels qui s'ignorent.

Les inspecteurs des ventes effectuent un autre constat sur le terrain : au fur et à mesure que l'urbanisation s'accélère, la pénétration s'effrite. Populations flottantes des grands ensembles, non insérées dans la vie locale. Familles éclatées au travail dès 7 heures du matin et reformées à 19 heures, à l'heure de la télévision alors que le quotidien commence à refroidir. Les Français restent malgré tout très fidèles à l'écrit puisqu'une récente étude ministérielle prouve que sur les 3,4 % de leur budget consacré à la culture, les Français en affectent un bon tiers aux journaux, revues et livres. Mais cela signifie concrètement moins de 2 000 francs par an...

Les directeurs de la diffusion (ou les chefs des ventes) ont donc de beaux jours devant eux, même s'il faut parfois utiliser jeux ou concours. Une drogue est venue d'Angleterre, lorsqu'un ancien joueur de football monta les premiers "Bingos" pour les journaux populaires de Londres. Début 1985, *Le Provençal* franchit le pas, suivi en mars par *Le Parisien*. Depuis, la plupart des titres y ont plus ou moins goûté, gonflant ainsi leur diffusion de 10 % en moyenne. Du moins au début, car le problème de la drogue reste l'accoutumance et l'escalade vers les prises "dures". Il fallut des dotations de plus en plus fortes pour améliorer une diffusion qui, le jeu terminé, se retrouvait souvent proche du point de départ.

L'enjeu est ailleurs, en profondeur. En affinant sans cesse les circuits de distribution : un titre doit être dans les pantoufles du lecteur avant 8 heures du matin. C'est le premier pari à gagner en dynamisant le "réseau" des dépositaires et diffuseurs. Le second - mais n'est-ce pas le premier pour l'avenir ? - est dans la fidélisation qui suppose souvent le service rendu. Fidélisation de l'abonné par poste, mais surtout service rendu par le portage à domicile. On imagine mal les handicaps que la presse surmonte dans ce type de distribution : "tournée" de 200 à 400 papiers entre 6 heures et 12 heures, avec tous les aléas du temps, de la maladie, des mauvais payeurs ou des caractères marginaux. Rude tâche des petits matins de province, mais enjeu de survie : on ne peut plus attendre seulement le lecteur au fond d'un magasin, il faut aller au-devant de lui. La stratégie est ici inverse de celle des NMPP et de la presse parisienne, qui souhaitent concentrer une offre globale dans les "Maisons de la presse" ou les points de vente au détail. Elle n'est pas antinomique dès lors que le réseau des dépositaires joue le jeu. Son rôle reste cependant de stricte neutralité entre les divers titres qui lui sont confiés. Il appartient donc à chaque service commercial de pêcher de nouveaux lecteurs. A eux, l'ingéniosité et la présence sur le terrain, selon des voies dynamiques explorées par des responsables comme J. Duguié *(Sud-Ouest)*. Au carrefour des ventes, de la publicité et de la rédaction, les suppléments thématiques apparaissent comme l'une des voies que la PQR entend explorer et exploiter.

Au croisement de tous les enjeux

Le "cahier TV" constitue le plus célèbre de ces suppléments. La plupart des régionaux avaient entrevu ce service à rendre et présentaient (présentent toujours pour certains) des suppléments hebdomadaires à leur quotidien, sur papier journal mais avec beaucoup de couleurs. L'espoir était aussi d'ouvrir un nouveau champ aux annonceurs, ce qui fut fait en partie. Dès 1987, il apparut cependant que le "support" était insuffisant pour lutter sur un marché spécifique en constant développement, comme le prouve l'ascension des hebdos spécialisés. Trois initiatives s'appliquent alors à mobiliser la PQR :

- Michel Hommel, éditeur indépendant, proche de Gérard Lignac, met en œuvre son projet avec *L'Est Républicain*. Son espoir : faire tache d'huile.

- Hersant appelle la PQR à témoigner de la force de son union, en s'engageant derrière un "Hebdo TV" fourni "clés en main" aux titres qui en feraient la demande. Perspective alléchante : offrir aux annonceurs un support de bonne qualité graphique "porté" par 3 ou 4 millions de journaux régionaux.

- Hachette prépare la protection du marché dominé par son *Télé 7 Jours* en fourbissant un supplément analogue.

Début 1990, les positions sont relativement claires :

- Hachette et Hommel se sont associés et placent leur supplément à *L'Est Républicain*, aux *DNA*, au *Provençal*, au *Républicain lorrain*.

- Hersant, outre ses propres titres, a signé un accord avec *Centre France,
La Dépêche*, le *Midi Libre, Nice Matin*.

Demeurent réticents à ces produits étrangers à leur propre démarche rédactionnelle : *Ouest-France, Sud-Ouest* et *NRCO* en particulier. Certaines hésitations des éditeurs proviennent du surcoût exigé par ce supplément qui porte - un jour, le samedi ou le plus souvent le dimanche - l'achat du quotidien à 5,50 francs voire 6 francs. Les lecteurs ont peu apprécié ce qu'ils ont considéré dans un premier temps davantage comme un coup de force que comme un service supplémentaire. Il semble que, depuis, l'idée fasse son chemin sans avoir apporté, encore, une réponse définitive au moins comme vecteur déterminant d'une grande reconquête du lectorat.

A mille années-lumière des deux kilos que pèse un journal américain du dimanche, la PQR n'en a pas moins largement engagé sa réflexion sur les suppléments thématiques. Nombreux sont déjà les cahiers sports, économie, emploi, loisirs-détente, union délicate et subtile d'un projet rédactionnel et d'une opportunité publicitaire.

L'encartage de suppléments, voire de supports étrangers au titre principal ou l'accumulation en cahiers thématiques, est aujourd'hui un triple enjeu : rédactionnel, publicitaire et surtout technique. C'est un pari que la PQR entend ne pas perdre, car elle garde le mauvais souvenir des "gratuits" qui ramassèrent la donne des petites annonces et petits commerces.

Autre réaction positive de la PQR dans le secteur publicitaire : elle lutte contre le reproche que lui adressent les annonceurs nationaux d'être d'une diversité de formats, de tarifs, de capacités couleurs qui freine la conception d'une campagne globale. Elle a su rationaliser des ensembles et les commercialiser pour plusieurs titres.

- Régions et Communication pour *Ouest-France*, le Groupe *Sud-Ouest, Centre France* et *Nouvelle République du Centre-Ouest* avec Havas ;

- les Quotidiens Associés pour notamment *Voix du Nord, Télégramme de Brest* et *Républicain lorrain*, GIE d'éditeurs.

Ces réactions, ces actions sont nécessaires dans un environnement qui ne cesse de multiplier les compétitions. Dans un pays où, nous le savons, l'investissement publicitaire est sous-développé, deux solutions sont permises : espérer un développement par multiplication de l'offre des supports ou défendre sa part d'un gâteau qui grossit peu. Un tableau est plus éloquent que tout. Il émane de l'IREP et trace la courbe de la part des médias dans les recettes publicitaires de 1975 à 1990 :

- La presse (tout confondu) passe d'une part de marché de plus de 60 % à 50 % ; la TV de 15 à près de 30 %, l'affichage à peu près stable autour de 12 % et les radios de 10 à 8 %.

La baisse de part de marché serait évidemment moins grave pour la PQR si le gâteau augmentait de volume. Or c'est plutôt le risque d'une diminution qui existe puisqu'une forte pression s'exerce afin d'autoriser l'accès de la grande distribution à la télévision. Lorsqu'on sait que ce secteur représente 20 % des investissements publicitaires en PQR (800 millions) et que parmi les dix premiers annonceurs se trouvent les cinq plus grandes sociétés d'hypermarchés, on comprend les fortes inquiétudes que cette hypothèse suscite.

Dernier enjeu, dernier pari : redéployer le premier média de France et d'abord reconquérir les convictions. Médiamétrie a effectué pendant neuf mois une "enquête d'audience" de la PQR, un peu à la manière des télévisions ou radios. Avec 56,7 % d'audience globale la PQR est riche de 20 500 000 lecteurs chaque jour et assure aux publicitaires 31 millions de "contacts". De quoi guérir bien des complexes.

Au croisement des enjeux de cette fin de siècle, la diversification, dite notamment "multimédia", est venue ajouter aux préoccupations de la PQR. Qui ne se souvient des grandes batailles qui l'opposèrent à la direction générale des Télécommunications dans le champ clos de la télématique ? Nul n'a oublié - surtout pas les financiers - la difficile mise en place des radios locales sous les formes les plus diverses, mais avec un égal et piètre résultat. Chacun, enfin, peut voir aujourd'hui apparaître sur l'écran de TF1 le nom des dix groupes de presse signataires de l'accord de correspondance journalistique régionale. A toutes ces questions qui se sont bousculées en moins de dix ans pour bouleverser le champ de vision, la PQR a apporté des réponses variées parfois très différentes qui rendent l'étude globale délicate. Il nous semble qu'elle sera faite plus clairement à partir du cas concret que nous allons étudier.

De même les perspectives européennes que la PQR aborde tout juste mais avec détermination. Le SPQR s'est doté d'une nouvelle commission, dite du Développement, qui prépare le dossier dans ses diverses composantes juridiques, économiques et sociales afin de permettre aux responsables des entreprises de presse d'avoir, en 1991, les éléments d'une stratégie européenne. Peut-être, entre-temps, les échanges esquissés de région à région au-dessus des frontières auront-ils donné un contenu très concret à ces perspectives. «Les quotidiens régionaux, note Jacques Saint-Cricq, constituent le plus souvent chez nos voisins la forme la plus puissante et la plus dynamique de la presse et de la communication. La grande fluidité des hommes et des capitaux offrira donc l'occasion de capillarités nouvelles, sur lesquelles la PQR devra appuyer une partie de son développement en contribuant à structurer la future Europe des régions.»

Un exemple parmi d'autres...

...Sud-Ouest

Sud-Ouest : du journal au groupe

1944-1990... Ce demi-siècle (ou presque) a vu les Français, l'oreille d'abord collée aux vieilles boîtes où Londres leur parlait, ouvrir ensuite grands les yeux sur les satellites qui font de l'univers un petit coin de banlieue. Ce monde, où la liberté marchait maladroitement avec des chaussures à semelles de bois, va danser sur la lune d'un pied léger. Ces hommes et ces journaux ont connu une folle jeunesse ; parfois, sont morts de trop vivre, ont vécu les amours tumultueuses de deux républiques et l'ivresse du pouvoir. Les patrons de presse ont quitté les bretelles de Pierre Lazareff pour les chemises Arrow de Daniel Filipacchi. Les titres ont formé des familles, petit à petit, comme une évolution naturelle de l'Histoire. L'information a explosé en mille fleurs de communication au fur et à mesure qu'apparaissait un nouveau média. Tout, petit à petit, a pris la vitesse du son...

Témoin, parmi d'autres, de ce demi-siècle, voici un journal qui, au plus fort de sa maturité, a enfanté un groupe. Un journal et un groupe qui n'ont ni leçon ni exemple à donner : simplement une belle illustration de l'évolution-révolution que la PQR a dû conduire depuis la Libération. D'autres peuvent, à juste titre, se considérer comme tout aussi exemplaires. Peut-être se reconnaîtront-ils d'ailleurs au fil de tel ou tel épisode d'une aventure souvent vécue en commun. Beaucoup, également, peuvent faire leur cette fière devise que *Sud-Ouest* avait choisie pour fêter son quarantième anniversaire en 1984 : " La vie recommence à quarante ans". Il était alors, comme toute la PQR, au cœur du cyclone médiatique : télématique, radios, télévision, satellites, concentrations... Une période plus ou moins bien préparée par les épisodes précédents. On peut en voir quatre essentiels ; en toute subjectivité objective bien sûr.

- *De la Résistance à l'existence (1944-1960)*. La PQR est, à la Libération, très vivante. Très fragile aussi ; elle a des petites toux de "Dame aux camélias". C'est l'époque où les régionaux s'installent dans une vive concurrence et où la compétition fait ses premières victimes. *Sud-Ouest* consolide ses positions face à ses concurrents et crée un journal du dimanche.

- *La Grande Epoque (1960-1980)*. Les groupes se forment ou se consolident. La presse apprend les règles de l'entreprise. Le jeu des familles se met en place. En moins de quinze ans, *Sud-Ouest* devient le point de rencontre de quatre titres départementaux - cinq peu après - et d'un réseau d'agences de voyages, sa première diversification. Premiers pas de ce qui n'est pas encore un groupe.

- *La Folle Epoque (1980-1990)*. Au début des années 1980, le monde de la communication français croit devoir rattraper en cinq ans ce que les Etats-Unis ont réussi en vingt-cinq ans. C'est le feu d'artifice du "multimédia". Le groupe *Sud-Ouest*, reconnu et structuré comme tel cette fois, refuse la frilosité aussi bien que l'aventure. Il crée, entre autres, le premier centre serveur et les premières radios locales autorisées ; il consolide sa place sur le marché publicitaire et les services. Plus loin, il se prépare à l'Europe.

- *L'écrit, énergie du futur (1990-2000)*. Au seuil des dernières années du siècle se mêlent espoirs et certitudes. Les lecteurs croient en l'écrit et l'écrit croit, de nouveau, en lui. Tandis qu'à Paris, *Le Monde, Le Figaro, France-Soir* vivent leur tardive révolution technique, la presse de province se mobilise pour reprendre son avancée et réfléchit à l'Europe des régions. Le groupe *Sud-Ouest* se sent un tropisme naturel avec l'Espagne et réaffirme sa foi fondamentale dans la chose imprimée, valeur de base à partir de laquelle peut se préparer une ouverture vers d'autres formes de communication. "L'écrit, énergie du futur" devient la première devise du groupe.

De la résistance à l'existence

On peut supposer que le 29 août 1944 lorsque paraît le premier numéro de *Sud-Ouest*, ses auteurs doivent être partagés entre la joie débordante de pouvoir crier très haut leur liberté et les préoccupations très terre à terre qui consistent à trouver du papier, à apaiser les tensions entre les différents groupes de résistants, à se mouvoir dans un environnement qui sent la poudre et les passions. A 76 000 exemplaires le premier jour, *Sud-Ouest* sort avec, au cœur de son titre, le coq triomphant qui ornait celui de *La Petite Gironde*. Rupture profonde de l'idéal, mais continuité de la chose écrite.

L'idéal, un homme l'incarne : Jacques Lemoîne, un Parisien qui a délibérément choisi la province pour son authenticité et la vigueur de ses racines. Ce choix marquera toute une vie, d'un humanisme fondé sur une morale à la fois chaleureuse et scrupuleuse, une foi sans apparat et une belle écoute des autres. Enfin, vertu d'entre les vertus, il est journaliste ! Bordeaux l'a attiré alors qu'il n'a même pas 30 ans comme rédacteur du *Rappel Girondin* puis, très vite de *La Petite Gironde* dont le propriétaire Richard Chapon a remarqué cet homme de plume et de conviction qui sait mettre de la force et de l'élégance dans le débat d'idées. C'est le rédacteur en chef idéal, celui qui sait avoir des certitudes enrichies par le recul du doute.

Survient la guerre, puis l'Occupation. Revenu du front, Jacques Lemoîne a repris son poste de rédacteur en chef, mais devient vite insupportable aux Allemands qui l'expulsent en 1942. De la Gironde au Lot-et-Garonne où se trouve désormais - et par son mariage - le berceau de la famille, sa route principale empruntera celle de la Résistance. Elle débouche en 1944 sur le poste de vice-président du Comité de libération Bordeaux et la mission - à 48 ans - de créer un nouveau journal aux lieu et place de *La Petite Gironde*. Il s'appellera *Sud-Ouest* avec en sous-titre définitif : grand quotidien républicain régional d'information. Son environnement est riche : *La Nouvelle République* a pris la place de *La France,* plutôt à gauche, *Le Courrier Français* succède comme quotidien catholique et social à *La Liberté du Sud-Ouest*, le Parti communiste édite *La Gironde Populaire* puis *Les Nouvelles*. Chaque matin les Bordelais ont le choix entre plusieurs titres (dont certains éphémères comme *France-Libre* ou *La Victoire*), chacun évoquant plus ou moins une famille de pensée.

"Belle époque", diront les jeunes journalistes qui bataillent jour et nuit sur les faits divers et organisent au mieux les tournées d'arbres de Noël. A *Sud-Ouest* les quelques anciens qui accueillent les "bleus" calquent avec humour la hiérarchie rédactionnelle sur la topographie des lieux ; le couloir de la rédaction s'ouvre non loin du bureau directorial de l'hôtel de Cheverus et place dans l'ordre : le service général (qui accueille dans un coin deux ou trois malheureux journalistes sportifs) ; la rédaction Bordeaux - Gironde (un chef, trois secrétaires de rédaction et trois reporters) ; les sténos (il n'y a qu'un fil direct avec Paris, le maximum arrive par téléphone ou "hors-sac") ; la rédaction régionale (un secrétaire de rédaction par département) et, tout au fond... les toilettes.

La vie rédactionnelle se déroule pour l'essentiel à Bordeaux. Au début des années 1950, le "ratissage" de l'information locale s'effectue d'une manière relativement artisanale ou institutionnelle. Peu ou pas de journalistes professionnels dans les départements. *Sud-Ouest* a ouvert sa première agence à Angoulême avec deux rédacteurs et se prépare à inaugurer la seconde à La Rochelle en 1952. Le "correspondant" de La Rochelle va pouvoir quitter enfin la chambre d'hôtel qui sert de bureau. Tout un chacun pouvait venir consulter les collections sur le lavabo ou remettre un communiqué à la secrétaire que le rédacteur payait de ses propres deniers puisqu'il était intéressé au chiffre de publicité !

Lancé au nord de la zone, le mouvement des agences gagne progressivement le sud pour laisser au début des années 1960 une situation un peu hybride de "grandes agences" avec des professionnels et quelques chefs-lieux avec des "notables" qui incarnent la ville. Les uns comme les autres n'ont qu'un seul lien avec Bordeaux : le "hors-sac", cette enveloppe postale qui contient la copie pour le... surlendemain (combien de "rédacteurs détachés" ont-ils usé leur cœur et leurs semelles à courir après la voiture postale !), et le téléphone pour l'actualité. La zone couverte est considérable, elle va de La Rochelle à Albi, d'Angoulême à Bayonne en passant par Toulouse et Tarbes. En 1960, il y a une moyenne de deux journalistes par département (trois pour les plus forts). Dix fois moins qu'aujourd'hui.

L'évènement journalistique le plus important de cette période se produit le 19 juin 1949 où une jeune équipe venue du *Soir* de Bordeaux se réunit autour d'Henri Amouroux pour lancer *Sud-Ouest Dimanche*. Au départ, une idée et une actualité. L'idée est partagée par Jacques Lemoîne et Henri Amouroux : lancer un journal du septième jour, mono-édition, qui apporte une autre respiration journalistique, plus distanciée et approfondie à la fois, plus magazine régional. Quant à l'actualité, elle est dramatique : les poussières des grands incendies, qui ravagent la lande girondine et tuent sauveteurs ou habitants, obscurcissent le ciel de Bordeaux. Très vite, *Sud-Ouest Dimanche* est une réussite qui démontre la qualité du journalisme en province. Avoir un papier commandé ou simplement accepté par "SOD" a infiniment plus de valeur que de recevoir une décoration.

Le quotidien trace aussi sa route dans un climat social qui - malgré un mouvement de quelques jours en 1957 - s'inscrit dans un grand respect de l'entreprise et des métiers, un amour partagé de cette "belle ouvrage" qu'est - chaque matin - le quotidien. Jacques Lemoîne a montré la voie du partage d'un idéal commun, en étant le premier à associer le personnel au capital, d'une manière très significative : près de 20% pour les sociétés de journalistes, cadres, techniciens et employés. Comme le permettait la loi de 1953

sur la dévolution des biens de presse, il a su mettre en place une organisa-
tion qui associe à l'entreprise les anciens propriétaires, la famille Chapon.
Jusqu'en 1977, la SAISO (Chapon) sera la Société d'imprimerie de la
SAPESO (*Sud-Ouest*).

Fin des années 1950, bruits et fureurs de la Libération s'estompent.
Sud-Ouest a pris du poids : 13 pages quotidiennes en moyenne et 300 000
exemplaires diffusés. Il s'est imposé devant *La Nouvelle République -
La France* qui reste néanmoins un fort concurrent. *Les Nouvelles* devien-
nent hebdomadaires puis, plus tard, éphémères. Jacques Lemoîne a coulé
en terre du Sud-Ouest les bases solides d'un socle sur lequel une famille de
presse va pouvoir se rassembler.

La grande époque

1960-1980. Vingt ans, le temps d'une génération et, pour la presse, le
passage de l'adolescence ardente et généreuse à la maturité sereine et - dira
Robert Mejean pour *Sud-Ouest* - conquérante. A la fin des années 1950,
les lecteurs ont déjà fait quelques ravages parmi les titres de la Libération.
En 1960 : 98 quotidiens de province tirent 7 170 000 exemplaires. Une
bonne soixantaine de journaux n'ont pas survécu, alors que le nombre
d'acheteurs demeure à peu près identique. Ainsi apparaît un des phéno-
mènes qui expliquera, au fil des ans, la stagnation de la PQR. Les titres les
plus forts se nourriront souvent de la clientèle des plus faibles, sans créer
ou renouveler un lectorat. *Sud-Ouest* choisira, le moment venu, une politique de pluralisme organisé beaucoup plus valorisante et efficace.

Deux périodes dans la constitution de la famille presse écrite *Sud-Ouest* :
entre 1960 et 1965, puis de 1970 à 1975. Entre les deux, la date la plus
terrible, la plus poignante pour ce qui est - même avec plus de 800 personnes alors - une grande équipe soudée autour d'un homme. Le 13 février
1968, Jacques Lemoîne est terrassé, à Paris, par une crise cardiaque. Au
nom de l'émotion générale, un journaliste, Louis Dartigues, témoigne dans
Sud-Ouest : « Il manque à ce journal bien triste, aux larges filets noirs, son
lecteur le plus fidèle. Son lecteur le plus attentif. Son lecteur le plus exi-
geant. Et pourtant, jamais autant qu'hier, M. Jacques Lemoîne n'aura fait
corps avec l'équipe qu'il animait, le journal qu'il dirigeait, l'immense famille sur qui rayonnait son entreprise et qu'il avait le permanent souci de
servir, au sens le plus noble et plus élevé du terme. » Un grand patron -

et Dieu sait s'il l'était pour tous ses collaborateurs et ses confrères ! - ne disparaît pas, ne se perd pas. Il existe, pour lui, une sorte de grâce qui est l'immortalité des mémoires et la permanence de son action. Ainsi, Jacques Lemoîne, toujours lui-même grâce à la présence attentive et discrète de Madame Eliette J. Lemoîne, et déjà autre quand son fils, Jean-François, torture comme lui ses lunettes et trace - à sa façon et dans sa part de siècle - la même route.

La première étape concerne, à l'aube des premières années 1960, deux quotidiens différents par la taille et la conception. Différente, aussi, sera leur destinée. *La France - La Nouvelle République* - dont le siège est à Bordeaux et la zone de diffusion identique à celle de *Sud-Ouest* - est le vieil adversaire traditionnel, celui qui occupe une place non négligeable dans certaines zones comme la Charente-Maritime. Il a vécu dans un groupe de magazines avec *Détective* et *Radar* auxquels il n'a pas hésité à emprunter le sang à la une non plus que l'effeuillage faussement pudibond de quelques "pin-up" à la mode. Le patron du groupe, Jean Beyler, l'a finalement vendu à une équipe d'investisseurs régionaux proches de Jacques Chaban-Delmas. Malgré plus de 100 000 exemplaires et de forts ancrages politiques, le quotidien s'est, petit à petit, déstabilisé. Il va chercher, du côté de la rue de Cheverus, l'espoir de son sauvetage. Jacques Lemoîne veillera avec attention à ce que le rapprochement se déroule sans blesser quiconque, dans le respect de tous les collaborateurs de *La France* qui viendront, nombreux et sans drame, s'intégrer à *Sud-Ouest*.

Plus modeste, *La Charente Libre* diffuse, depuis Angoulême, un peu plus de 30 000 numéros sur la Charente et la Charente-Maritime. Le journal d'Angoulême est lui aussi né à la Libération grâce à un groupe de Résistants réunis autour de Pierre Bodet, avec l'appui du délégué à l'Information, René Pomeau. Le premier dirigeait l'Ecole normale, le second était au début d'une brillante carrière d'universitaire, consacrée plus tard par une chaire à la Sorbonne et une épée d'académicien des Sciences morales et politiques.

Bien implanté en Charente, moins bien en Charente-Maritime, le quotidien pressent sa crise de croissance. Pierre Bodet et J.-A. Catala - revenu en Charente pour *Sud-Ouest,* après une grande carrière à *La Petite Gironde* et à *L'Echo du Midi* - réfléchissent aux solutions possibles. Un inconnu qui est en train de constituer une chaîne de petits journaux fait des travaux d'approche : un certain Robert Hersant. La Charente a alors donné à la République son plus jeune président du conseil, Félix Gaillard. Celui-ci souhaite que *La Charente Libre* demeure charentaise et favorise - autour de *Sud-Ouest* et de J.-A. Catala - la constitution d'une société qui prend une participation dans ce quotidien.

En 1963, le sort en est jeté : la famille *Sud-Ouest* s'est agrandie de *La Nouvelle République* et de *La Charente Libre*. Il faudra attendre près de dix ans pour qu'une autre étape soit franchie. Entre-temps, de 1963 à 1972, *Sud-Ouest* va consolider son large socle régional.

Partout, des rédactions à l'atelier, apparaissent les premiers signes d'une évolution technique dont on ne soupçonne pas encore tous les contours. Les premiers téléscripteurs sont arrivés dans les rédactions détachées, bientôt suivis par des claviers à bandes perforées. Ce sont les premières "saisies" sur place avec des ouvriers du Livre qui, pour la première fois, quittent la grande salle de "compo" de Bordeaux où on travaille sur du matériel de plus en plus rapide. La rédaction s'étoffe et le dialogue est de plus en plus nourri entre le secrétaire de rédaction au siège et le chef d'agence, afin que le contenu de l'édition reflète l'humeur du terrain. La pagination passe de 13,25 pages en 1960 à une moyenne de 19,38 en 1970. Dans le même temps, la diffusion bondit de 300 000 à 370 000 exemplaires. *Sud-Ouest* est un athlète bien musclé, entraîné par un rédacteur en chef de renommée nationale : Henri Amouroux. Depuis *Sud-Ouest Dimanche,* il est, aux côtés de Jacques Lemoîne - puis de 1968 à 1974 comme directeur général -, le guide et l'élan d'une rédaction qui verra éclore des talents comme J.-C. Guillebaud ou Pierre Veilletet, deux prix Albert Londres. Les journalistes apprennent à devenir des "déclencheurs", des "accélérateurs".

Les pavés de mai 1968 atterrissent mollement à Bordeaux. Ils y feront moins de bruit que les "accords de zone" signés, à l'été, avec l'autre rival, *La Dépêche*. On parlera perfidement de "petits Yalta" entre grands barons partageant leur petit monde. Jean-François Lemoîne répond plus simplement : « Ces traités, signés sans grand enthousiasme étaient dictés par le coût gigantesque d'éditions marginales. Les directeurs de régionaux en sont conscients et même en tirent fierté (...) parce qu'ils ont le sentiment profond d'assumer, sans excès de philanthropie mais avec une profonde conscience professionnelle, une mission d'intérêt public. »

La Dépêche se retire du Béarn et de tout l'Ouest du Lot-et-Garonne. *Sud-Ouest* arrête ses éditions lointaines du Tarn, du Lot et des Hautes-Pyrénées. Avec des forces regroupées, la compétition n'en restera que plus vive, une fois effacés les états d'âme bien compréhensibles.

L'efficacité de cette politique réaliste sera confirmée dix ans après, par la décision de *Sud-Ouest* de concentrer la bataille sur la frontière naturelle des régions Aquitaine et Midi-Pyrénées : le Lot-et-Garonne et le Gers.

La date "historique" de cette période, véritable cas d'école et sujet de thèse, est la grève de 1972 : vingt-six jours pour un homme en moins dans une clicherie automatique... On a beaucoup décrit, de l'extérieur, le choc de deux hommes : Henri Amouroux, directeur général, et Jean-Marie Hellian, secrétaire régional du Livre. Ils avaient appris à s'estimer ; la déception n'en fut que plus grande lorsqu'ils découvrirent qu'ils ne se comprenaient pas. Vu de l'intérieur, le traumatisme fut cruel et marqua l'évolution des rapports professionnels. A *Sud-Ouest* le syndicalisme du Livre n'allait plus être, petit à petit, ce qu'il était : la défense d'un métier noble et le respect d'une entreprise attentive aux hommes.

La "grande grève" marqua l'ensemble de la famille puisque *La Charente Libre* fut appelée à couvrir la Charente-Maritime et la Dordogne pour assurer l'information. Pendant un mois, 100 000 exemplaires jaillirent d'une rotative offset tout juste installée dans un nouvel ensemble agréable et fonctionnel à la proche périphérie d'Angoulême. C'est en effet le destin de *La Charente Libre* de devenir la fille aînée du groupe en réussissant, dès 1971, - et sans désemparer depuis - sa mutation technique au service d'un quotidien adepte d'un journalisme allègre, parfois impertinent mais toujours responsable, comme l'ont toujours souhaité ses P-DG (de J.-A. Catala à L.-G. Gayan en passant par J.-F. Lemoîne) et les directeurs qui ont approfondi ce sillon, Max Dejour et Loïc Hervouët.

La Nouvelle République-La France n'a pas la même chance. Son plan de redressement a entraîné successivement la fermeture des éditions les plus coûteuses, puis des pages locales communes avec *Sud-Ouest*. 1972 lui porte un coup fatal. Dans le plan drastique d'économies de fabrication mis au point à Bordeaux pour compenser les pertes d'un mois de grève, *La France* ne peut plus individualiser que sa jaquette, puis deux pages, puis une... Les lecteurs s'éloignent ; certains se retrouvent à *Sud-Ouest ;* d'autres (un tiers environ) sont perdus corps et bien. C'est pour les reconquérir qu'une opération de relance du titre comme quotidien de Charente-Maritime en symbiose avec *La Charente Libre* sera mise en œuvre en 1988.

La deuxième phase de croissance débute à Pau. L'abbé Lanusse-Cazalé a fait de *L'Eclair des Pyrénées* un bastion de la pensée catholique totalement détaché des biens de ce monde. Et ces derniers le lui rendent bien. Les convictions y sont profondes ; le déficit également. En 1971, à sa demande, *Sud-Ouest* concourt à prendre les premières mesures d'urgence. En 1974, Jean-François Lemoîne, devenu directeur général tandis qu'Henri Amouroux couronne sa carrière à Paris, pose les premiers jalons de la philosophie qui va guider *Sud-Ouest* dans la formation de son groupe : un titre ne meurt pas, on doit l'aider à conserver, voire améliorer sa place dans l'expression des diverses sensibilités. Grâce à la grande finesse du nouveau directeur, Henri Loustalan, et au profond dévouement de tout le personnel, *L'Eclair* concentre et modifie sa formule pour tenter de faire face à un puissant concurrent local, *La République des Pyrénées,* qui fait également pièce à l'édition de *Sud-Ouest.* Situation complexe et difficile que Robert Hersant - encore lui - va contribuer involontairement à dénouer.

Le dirigeant historique de *La République,* Georges Naychent, a passé le relais à des représentants des familles fondatrices. En juin 1975, le compte d'exploitation est malheureusement passé du vert espérance au rouge inquiétant, une couleur qui n'est peut-être pas celle d'Hersant sur le plan politique, mais qu'il connaît bien dans son chapelet de reprises de journaux. Or précisément, non loin de Lourdes il dirige *La Nouvelle République de Tarbes.* Et si on faisait des économies en installant un centre d'impression commun au deux titres, soit 50 000 exemplaires au total ?

Les dirigeants palois n'ayant aucun atome crochu avec le "papivore" choisissent de s'ouvrir à *Sud-Ouest.* Tout devient simple, *Sud-Ouest* doit - à Pau - conforter deux titres au lieu d'un ! Disons que l'auteur de ces lignes se souvient avoir rencontré autour de lui, sur place, suffisamment de lucidité et de volonté de réussir, pour que *L'Eclair* - 10 000 exemplaires - et *La République* - 30 000 - mettent en commun leurs moyens techniques et administratifs sous la forme du GIE Pyrénées-Presse, à la tête duquel Jean-Pierre Cassagne puis Dominique Videau alternèrent réalisme et diplomatie. Ainsi commença une longue route, difficile mais droite, qui permet aujourd'hui aux Béarnais de vivre toutes les subtilités de leur cœur, en choisissant entre trois titres au tempérament vigoureux.

Les années 1970 s'achèvent sur la naissance encore informelle d'un groupe de presse écrite : aux 370 000 exemplaires du navire amiral - dont Jean-François Lemoîne sent bien toute la puissance en même temps que la fragilité - sont venus se joindre près de 100 000 numéros des quatre escorteurs rapides de *Charente Libre, République des Pyrénées, La France* et *L'Eclair.*

Sud-Ouest s'est encore consolidé en décidant en avril 1975 d'investir 200 millions pour une double mutation offset et photocomposition, tout en prenant le pari de rester au cœur de la ville. Deux raisons au moins à ce choix délicat : le coût élevé de la décentralisation et la volonté de ne pas risquer une transplantation hors du cœur battant de la cité.

La rédaction - dirigée par Francis Piganeau et Jean Ladoire, mainteneurs de l'esprit *Sud-Ouest* - et l'imprimerie vont ainsi vivre, côte à côte, l'évolution des techniques en échangeant quelques regrets devant certaines contraintes et quelques élans vers les nouveaux horizons rédactionnels qui s'ouvrent. En septembre 1979, après neuf mois d'études et de préparation, paraît un nouveau *Sud-Ouest Dimanche,* reconstruit dans sa démarche rédactionnelle et repensé dans sa présentation tabloïd. Il se présente en deux cahiers, l'un d'actualité du septième jour, l'autre étant consacré... à la télévision, aux magazines, à la culture, aux loisirs. Déjà !...

La folle époque

Imaginez un tournoi de bridge où, soudain, le "mort" lui-même dirigerait la partie avec des cartes de tarot, des enchères de poker et les règles de la belote. Compliqué, non ?

Supposons, maintenant, un ensemble médiatique bien ordonné, un secteur privé où la presse écrite cherche à séduire ses lecteurs et à développer son marché publicitaire ; deux grandes radios périphériques ont le même mode de fonctionnement, des auditeurs et des annonceurs. Puis, bien identifié, dans ses propres règles, un secteur public de radio et de télévision monopole d'Etat. Et, tout à coup, à la fin des années 1970, rien ne va plus ; les schémas traditionnels explosent et les jeux médiatiques sont défaits.

Le premier boutefeu - et il s'en félicite - est un visionnaire de la direction générale des Télécommunications, Gérard Théry. Il a inventé la télématique et le minitel pour tous. La presse s'intéresse à l'expérience de Vélizy tout en s'inquiétant de ce coup de pied dans la fourmilière, car on voit se préparer toutes sortes de "grands communicateurs" plus soucieux de ratisser des clients que de respecter une déontologie.

Dès 1982 "Télésud" est créé à Bordeaux, premier centre serveur de la PQR qui allie le savoir-faire du directeur bordelais de la filiale vidéotext de la Caisse des dépôts et consignations, Alain Petit, et les connaissances en communication du groupe *Sud-Ouest*.

1981-1982, l'imagination prend tous les pouvoirs, notamment sur les ondes "libérées" où on va pouvoir faire enfin de la communication, de l'information et de la convivialité, autant de notions auxquelles les journalistes n'avaient évidemment rien compris jusque-là. Dans le respect d'une loi bien naïve, *Sud-Ouest* lance à Bordeaux, dès septembre 1981, Radio 100 qui sera la première radio de presse autorisée et sera suivie de Radio Marguerite à Angoulême puis, pour peu de temps, de Fréquence IV à Pau.

1982 toujours - une très bonne année pour les vins de bordeaux - et Louis Mexandeau, ministre des P et T, lance le plan câble et confie à la mission Schreiner le soin de couvrir la France de quelques millions de "prises". Nouveau secteur, nouvelles perspectives. Nouveaux marchés ? Il faut bien payer pour voir comme l'on dit. Sauf qu'à un moment donné, on se frotte les yeux...

Comment un ensemble de presse écrite peut-il, en cette période, éviter d'attraper le "tournis" devant tant de sollicitations, et ne pas succomber à l'inquiétude et au doute face aux nouveaux marchands de la communication ?

On a cru apporter une réponse par le concept de "multimédia". Une entreprise de presse étant, avant tout, une formidable banque de données d'informations, on a pensé pouvoir utiliser cette matière brute à des fins de communication qui apparaissaient différentes mais complémentaires. Le journaliste était, alors, la déesse aux cent bras, avec stylo, caméra, micro, etc. On s'est vite aperçu que si l'information est une, dans ses principes essentiels, elle est multiple selon le vecteur utilisé. A chaque média son métier.

La réflexion nous conduisit alors, à Bordeaux, à étudier un plan de développement qui partit d'abord d'un constat : *Sud-Ouest* avait grandi du journal au groupe, sans toujours le vouloir, sans parfois le savoir. A un développement subi, il fallait substituer une stratégie réfléchie et, surtout, compatible avec les moyens financiers de l'ensemble. Quelques outils étaient déjà forgés. Les différents titres du groupe avaient constitué deux sociétés de recherche et d'études : Atlantel pour les nouveaux médias et Atlanpresse pour les projets de presse écrite. En 1981, un premier plan de développement fixa les objectifs prioritaires qui devinrent de plus en plus précis, au fur et à mesure que les expériences nourrissaient la réflexion : priorité à l'écrit, développement de la présence sur le marché régional, ouverture et recherche dans les nouveaux médias. Ce plan dessinait en même temps les premiers éléments de la colonne vertébrale du groupe. Ainsi furent mieux vécus les tourmentes et tourbillons de ces premières années de la décennie 80 avec des résultats variés. Dans le groupe, comme ailleurs, les radios locales se sont fait tirer l'oreille. La télématique - entièrement autofinancée et rentable - a trouvé son second souffle dans les services professionnels et les prestations de savoir-faire. Le câble se dévide en attendant de se remplir.

Priorité à l'écrit dans le développement. *Sud-Ouest* en fait l'éclatante démonstration en fêtant, en septembre 1984, ses quarante ans par une nouvelle formule qui ordonne le contenu, enrichit l'investigation et l'écriture, facilite la lecture, rajeunit et dynamise un quotidien désormais plus rigoureux et plus dense. Toute la rédaction a conduit la réflexion et la mise en place, sur la base d'études de la COFREMCA et à travers un dialogue de haut niveau avec l'équipe d'éditorial. Le nouveau journal - comme *Sud-Ouest Dimanche* cinq ans auparavant - provoque un de ces électrochocs salutaires, dont l'œuvre de communication sort toujours enrichie. *Sud-Ouest Dimanche* a franchi la barre des 300 000 exemplaires ; *Sud-Ouest* vise le cap des 400 000. La même année, un nouveau titre a rejoint la troupe : *La Dordogne Libre*. En 1984, aussi, elle change de format et acquiert une animation rédactionnelle. Il faudra un délai normal aux lecteurs pour s'en apercevoir, jusqu'à ce qu'elle devienne "ruban bleu" avec un gain de diffusion supérieur à 10 % par an.

Deuxième objectif : le marché publicitaire et les services. Les gratuits se sont fait une belle place au soleil et Sud-Ouest Publicité a multiplié les initiatives en direction de la clientèle : agence conseil, création, studio, etc.

Bref, il existe de multiples "morceaux" du groupe répartis dans la plupart des secteurs, mais aucune structure fédérative. Jusqu'en 1984, le mot même de "groupe" sent le soufre, le monopole, le profit. Il est pourtant évident que le journal qui a enfanté ce groupe a besoin de retrouver calme et identité, et que les associés souhaitent la fédération d'intérêts collectifs plutôt que l'hégémonie d'un seul.

C'est ainsi qu'en juin 1986, naît officiellement la Société du groupe *Sud-Ouest* avec des missions de management général, distinctes des responsabilités de tous les opérationnels des sociétés de presse écrite, services, voyages, édition, publicité. Discipline peu habituelle encore pour des Français et surtout pour une entreprise de presse. La réflexion prospective et les synergies s'organisent autour de Jean-François Lemoîne avec trois directeurs généraux adjoints : Christian Kissien et Louis-Guy Gayan pour la Société du groupe Sud-Ouest, Paul Rigoux pour le quotidien *Sud-Ouest,* en même temps que l'encadrement supérieur s'enrichit d'un sang neuf et bouillonnant. La SGSO est un peu le fronton de ce temple de la communication qui repose sur cinq colonnes d'inégale grosseur : le quotidien *Sud-Ouest* (60 % du chiffre d'affaires), les journaux associés (12,7 %), les gratuits (18 %), les services et le développement-recherche. Il n'est pas certain que dans ce temple on ne puisse admirer que l'éternel.

La photo de famille de l'un des premiers groupes de presse français vaut plus d'un milliard :

- Six quotidiens pour 450 000 numéros diffusés, dont *La Dordogne Libre,* venue fin 1983, conforter le groupe à Périgueux. Chaque titre dispose de ses moyens autonomes pour la rédaction, l'administration et la fabrication. Induits de la presse écrite : les "Dossiers du quotidien" de *Sud-Ouest* et un département d'édition d'ouvrages touristiques. Un seul hebdomadaire associé, en Charente-Maritime mais une présence significative (10 %) au capital du *Point.*

- Le quatrième groupe de gratuits : 1 800 000 exemplaires hebdomadaires édités jusqu'à Montauban ou Niort par la Société des gratuits de Guyenne et Gascogne, fondée avec Havas à qui le groupe Sud-Ouest a racheté ses 50 % en 1987.

- Dans les médias audiovisuels ou télématiques : la correspondance régionale de TF1, une expérience pilote de décrochage local à Bordeaux avec M6, une participation minoritaire dans le câblage de Bordeaux et d'Angoulême, ainsi qu'au capital de Sud-Radio. En 1988, une petite société d'installation et de production implantée dans cette ville, Maximum Vidéo, a renforcé le secteur "image" par son savoir-faire. Deux radios locales suivent l'actualité bordelaise et angoumoisine dans le cadre du programme Europe 2. Télésud, centre serveur, et Atlantel - pour l'édition télématique - dépassent un chiffre d'affaires de 20 millions. Avec Sinorg et en compagnie de *La Voix du Nord,* le groupe contribue à la mise en œuvre de Communication Vidéotext France, qui sera la cinquième société de services télématiques nationale.

- Publicité et services : Sud-Ouest Publicité travaille comme "régisseur" pour tous les titres. Il dispose de tous les services complémentaires : Etudes et Médias, Créa Média, PA Services... Sud-Ouest voyages, une des plus anciennes activités, dispose d'un réseau d'une quarantaine d'agences et depuis 1989 d'un partenaire important : Frantour.

En regardant bien et au hasard des "divers", on trouverait encore de petites sociétés de diffusion ou de gestion immobilière. La photo n'est jamais totalement fixe, comme il se doit dans un ensemble vivant et qui s'adapte sans cesse. Le portrait de famille rassemble 1 868 salariés, dont 320 journalistes et plus de 500 commerciaux. 1 868 hommes et femmes pour un même avenir.

L'écrit, énergie du futur

Le problème est celui de toute évolution : affronter le seuil ou la taille critiques. Exactement le moment où l'on se sent - comme aime le dire J.-F. Lemoîne - un "petit gros" qui a besoin de se muscler pour correspondre à la silhouette idéale. Sans "body-building" de la matière grise ; sans dopage du discours.

La cure de musculation vise à dégager les ressources financières - et donc les résultats par secteur - nécessaires au développement d'une stratégie de communication basée sur la région et l'Europe, ou plus exactement l'Europe des régions. Et c'est dans l'écrit que l'énergie doit être puisée. Les résultats de 1989 le confirment. *Sud-Ouest* a passé le cap des 400 000 exemplaires en juillet et en août, *La Charente Libre* a dépassé en moyenne les 40 000, *La République* a frôlé les 30 000 ce qui, au total signifie, pour la première fois, une progression de tous les titres. L'amélioration des contenus y a contribué comme le maintien d'un prix de vente inchangé pendant près de quatre ans.

Quant à l'Europe elle est à portée de voix. Elle parle la langue chantante des Basques qui - Français ou Espagnols - maintiennent une forte solidarité de culture. Sans doute, côté ibérique, les attentats ne favorisent-ils pas l'expansion naturelle d'une région dont l'économie se redresse néanmoins, et dont les hommes ont foi en l'avenir.

La presse espagnole est jeune. Elle s'ébroue avec talent depuis la mort de Franco et affiche un dynamisme dont le réalisme est assez impressionnant. Elle a accompli l'essentiel de sa révolution technique et progresse régulièrement. Bilbao est, par exemple, le cœur d'un groupe particulièrement tonique qui possède trois titres en pays Basque et autant au Sud.

C'est donc naturellement, au nom d'une éthique et d'un voisinage, que des liens confraternels ont été noués entre le groupe Bilbao Editorial (320 000 exemplaires) et le groupe *Sud-Ouest*. L'entrée de ce dernier, à hauteur de 6 % dans le capital de l'ensemble ibérique, permet d'échanger des expériences et d'élargir le champ de vision.

*   *

*

Or, il est temps, car le cercle de famille se fissure. Au lendemain de la Seconde Guerre mondiale une génération a bien cultivé son jardin ; qui son lopin de terre, qui le domaine du château. Une autre génération va devoir gérer l'internationalisation de la presse. Depuis quelques années, sous les coups de boutoir de Murdoch et de Maxwell ou grâce à la compétence d'Axel Ganz, notre presse écrite, parisienne comme régionale, a pris le grand vent de l'histoire.

Sans doute, là encore, la PQR a-t-elle des arguments d'identité locale qui la rendent irremplaçable dans son rôle. Mais les problèmes sont aussi ailleurs : dans le changement d'échelle, qui peut aiguiser bien des convoitises. Jean Miot se plaît à dire que les journaux français sont de "petites boutiques", comparées aux multinationales de l'édition venues d'Australie, d'Angleterre ou d'Allemagne. La presse italienne, elle-même, dans la mesure où elle est, en grande partie, propriété de grands groupes industriels ou financiers, comme Fiat ou Benedetti ou Berlusconi, ne pourrait-elle obéir à des stratégies encore inconnues dans l'hexagone ?

Ce grand défi attend les nouvelles familles de la presse. Les chevaliers des anciennes croisades adoubent de jeunes managers qui ont appris à faire vivre leur région dans le monde et à préparer les alliances nécessaires. Car s'il existe de moins en moins de frontières entre les métiers et les hommes, il y a aussi de moins en moins de Pyrénées entre les peuples.

Chiffres et tableaux

La concurrence entre les quotidiens

Source : "Quotidiens régionaux" *par Louis Guéry, CFPJ/ARPEJ 1987.*

L'évolution des quotidiens (1945 - 1987)

Tirage en milliers d'exemplaires en juin de chaque année

Année	Quotidiens Nationaux		Quotidiens de Province		Tirage Global
	Titres	Tirage	Titres	Tirage	
1945	26	4 606	153	7 532	12 138
1946	28	5 959	175	9 165	15 124
1947	19	4 702	161	8 165	12 867
1948	18	4 450	142	7 859	12 309
1949	16	3 792	139	7 417	11 209
1950	16	3 678	126	7 256	10 934
1951	15	3 607	122	6 634	10 241
1952	14	3 412	117	6 188	9 600
1953	12	3 514	116	6 458	9 972
1954	12	3 618	116	6 559	10 177
1955	13	3 779	116	6 823	10 602
1956	14	4 441	111	6 958	11 399
1957	13	4 226	110	7 254	11 480
1958	13	4 373	110	7 294	11 667
1959	13	3 980	103	6 930	10 910
1960	13	4 185	98	7 170	11 355
1961	13	4 239	96	7 087	11 326
1962	13	4 207	96	7 198	11 405
1963	14	4 121	94	7 434	11 555
1964	14	4 107	93	7 617	11 724
1965	13	4 211	92	7 857	12 068
1966	14	4 391	91	7 831	12 222
1967	12	4 624	86	8 005	12 629
1968	13	5 034	85	8 039	13 073
1969	13	4 596	81	7 572	12 168
1970	13	4 278	81	7 587	11 865
1971	12	4 244	81	7 750	11 994
1972	11	3 877	78	7 798	11 675
1973	12	3 707	75	7 506	11 213
1974	13	3 831	73	7 509	11 340
1975	12	3 195	71	7 411	10 606
1976	13	2 970	71	7 197	10 167
1977	15	3 185	72	7 391	10 576
1978	15	3 173	72	7 370	10 543
1979	13	3 041	72	7 468	10 509
1980	12	2 913	73	7 535	10 448
1981	12	3 193	73	7 629	10 822
1982	13	2 779	74	7 332	10 111
1983	13	2 877	74	7 241	10 118
1984	13	2 707	70	7 200	9 907
1985	12	2 777	70	7 109	9 886
1986	12	2 885	67	7 109	9 994
1987	11	2 673	67	7 337	10 010

Source : "Presse et Statistiques" *n° 13 SJTI 1989.*

Le tirage des nationaux et des régionaux depuis la Libération

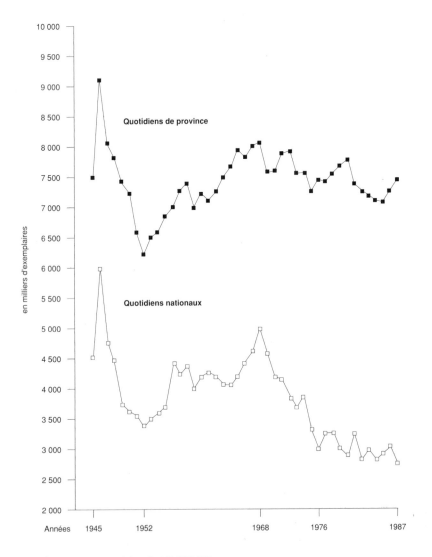

Source : "Presse et statistiques" *n° 13. SJTI 1989.*

La diffusion des quotidiens régionaux

Titres	DIF 88	DIF 87	DIF 86	DIF 85	88/87	88/85
L'Alsace (Mulhouse)	124 488	125 605	124 130	124 797	- 0,9 %	- 0,2 %
L'Ardennais (Charleville)	27 642	27 477	27 636	27 834	0,6 %	- 0,7 %
Le Berry Républicain (Bourges)	37 257	36 971	36 958	37 395	1,3 %	- 0,4 %
Le Bien Public (Dijon)	52 387	51 200	52 495	52 664	2,3 %	- 0,5 %
Centre Presse Poitiers	18 002	16 609	15 760	15 576	8,4 %	15,6 %
Centre Presse Rodez	24 994	25 144	24 696	24 689	- 0,6 %	1,2 %
La Charente Libre (Angoulême)	39 600	39 545	39 088	39 022	0,1 %	1,5 %
Le Courrier de Saône-et-Loire (Chalon-sur-Saône)	46 874	45 079	45 670	46 042	4,0 %	1,8 %
Le Courrier de l'Ouest (Angers)	108 423	107 456	107 431	106 302	0,9 %	2,0 %
Le Courrier Picard + *Le Courrier de l'Oise* (Amiens)	78 410	76 009	73 547	74 433	3,2 %	5,3 %
Dauphiné Libéré (Grenoble)	294 200	339 020	359 489	364 340	- 13,2 %	- 19,3 %
La Dépêche du Midi (Toulouse)	241 514	237 055	251 895	249 846	1,9 %	- 3,3 %
Les Dépêches du Centre Est (Lyon)	25 100	34 706	33 245	33 783	- 27,7 %	- 25,7 %
Dernières Nouvelles d'Alsace (Strasbourg)	221 196	221 954	220 858	220 082	- 0,3 %	0,5 %
La Dordogne Libre (Périgueux)	4 302	3 852	3 561	3 444	11,7 %	24,9 %
L'Écho Républicain (Chartres)	34 042	34 192	32 585	32 170	- 0,4 %	5,8 %
L'Éclair (Nantes)	17 209	18 065	18 745	19 587	- 4,7 %	- 12,1 %
Éclair Pyrénées (Pau)	9 768	9 491	9 907	9 867	2,9 %	- 1,0 %
L'Espoir (Saint-Etienne)	NC	9 966	13 269	14 756		
L'Est Éclair (Troyes)	30 812	31 167	30 640	30 140	- 1,1 %	2,2 %
L'Est Républicain (Nancy)	248 347	251 236	256 146	254 308	- 1,1 %	- 2,3 %
L'Éveil de la Haute Loire (Le Puy)	13 929	13 657	13 742	13 529	2,0 %	3,0 %
La France (Bordeaux)	7 142	8 210	9 283	10 093	- 13,0 %	- 29,2 %
Havre Libre	25 064	26 466	27 560	28 247	- 5,3 %	- 11,3 %
Le Havre Presse	17 486	17 381	18 102	18 106	- 1,9 %	- 3,4 %
L'Indépendant (Perpignan)	74 214	73 664	74 339	73 577	0,7 %	0,9 %
Le Journal du Centre (Nevers)	37 187	37 376	37 744	38 137	- 0,5 %	- 2,5 %
Libération Champagne (Troyes)	15 287	16 470	17 808	19 062	- 7,2 %	- 19,8 %
La Liberté de l'Est (Épinal)	32 261	32 235	32 090	31 391	0,1 %	2,8 %
La Liberté du Morbihan (Lorient)	9 126	9 540	9 924	10 446	- 4,3 %	- 12,6 %
Lyon Matin	42 908	45 593	49 296	50 801	- 5,9 %	- 15,5 %
Le Maine Libre (Le Mans)	55 625	56 662	55 489	56 915	- 1,8 %	- 2,3 %
Le Méridional La France (Marseille)	67 539	67 996	71 163	73 311	- 0,7 %	- 7,9 %
Midi Libre (Montpellier)	185 817	179 583	185 707	187 505	3,5 %	- 0,9 %
La Montagne (Clermont-Ferrand)	252 691	250 423	254 904	255 831	0,9 %	- 1,2 %
Nice Matin	256 104	258 205	262 719	261 980	- 0,8 %	- 2,2 %
Nord Éclair (Roubaix)	99 526	NC	92 868	91 601		8,7 %
Nord Littoral (Calais)	7 236	7 331	NC	9 448	- 1,3 %	- 23,4 %
Nord Matin (Lille)	NC	NC	77 883	75 192		
La Nouvelle République du Centre Ouest (Tours)	268 171	271 504	272 724	271 790	- 1,2 %	- 1,3 %
La Nouvelle République des Pyrénées (Tarbes)	17 298	17 275	17 040	17 403	0,1 %	- 0,6 %

La diffusion des quotidiens régionaux (suite)

Titres	DIF 88	DIF 87	DIF 86	DIF 85	88/87	88/85
Ouest France (Rennes)	765 195	739 047	736 423	729 428	3,5 %	4,9 %
Paris Normandie (Rouen)	119 295	123 736	129 238	129 193	- 3,6 %	- 7,7 %
Le Petit Bleu de Lot et Garonne (Agen)	NC	NC	12 536	12 395		
Le Populaire du Centre (Limoges)	55 967	55 565	56 613	56 981	0,7 %	- 1,8 %
La Presse de la Manche (Cherbourg)	28 507	29 660	27 906	27 661	- 3,9 %	3,1 %
Presse Océan (Nantes)	80 854	80 040	80 930	81 552	1,0 %	- 0,9 %
Le Progrès (Lyon)	303 795	281 676	271 036	282 671	7,9 %	7,5 %
Le Provençal (Marseille)	162 389	172 745	174 321	162 015	- 6,0 %	0,2 %
Le Provençal le Soir (Marseille)	13 994	14 806	16 216	16 817	- 5,5 %	- 16,8 %
Le Républicain Lorrain (Metz)	194 178	197 918	200 739	201 343	- 1,9 %	- 3,6 %
La République du Centre (Orléans)	65 704	64 824	64 988	66 404	1,4 %	- 1,1 %
La République des Pyrénées (Pau)	28 437	29 984	27 910	27 975	- 5,2 %	1,7 %
Sud Ouest (Bordeaux)	366 387	368 160	360 766	361 046	- 0,5 %	1,5 %
Le Télégramme de Brest	181 305	178 415	177 208	176 251	1,6 %	2,9 %
L'Union (Reims)	113 322	116 147	112 672	115 660	- 2,4 %	- 2,0 %
Var Matin République (Toulon)	85 089	86 389	85 333	81 353	- 1,5 %	4,6 %
La Voix du Nord (Lille)	374 050	380 956	377 219	376 073	- 1,8 %	- 0,5 %
L'Yonne Républicaine (Auxerre)	41 025	41 126	41 361	41 164	- 0,2 %	- 0,3 %
Le Parisien	384 512	365 661	357 776	339 271	5,2 %	13,3 %

(N.C. : non communiqué par le support)

Suppléments hebdomadaires des quotidiens

Titres	DIF 88	DIF 87	DIF 86	DIF 85	88/87	88/85
L'Alsace Lundi	71 377	70 623	68 832	69 154	1,1 %	3,2 %
Dauphiné Libéré Dimanche	372 438	402 911	427 499	436 572	- 7,6 %	- 14,7 %
Lyon Matin Dimanche	48 577	53 742	56 474	60 688	- 9,6 %	- 20,0 %
La Dépêche Magazine	236 475	NC	248 390	243 378		- 2,8 %
Les Dépêches Dimanche	25 317	36 039	31 709	30 463	- 29,8 %	- 16,9 %
Dernières Nouvelles du Lundi	127 242	125 674	125 116	124 991	1,2 %	1,8 %
L'Est Républicain Dimanche	320 636	322 207	326 224	321 299	- 0,5 %	- 0,2 %
La Liberté de l'Est Dimanche	30 147	30 783	28 796	27 432	- 2,1 %	9,9 %
Lundi Matin Républicain Lorrain	168 295	170 046	170 735	168 883	- 1,0 %	- 0,3 %
Le Méridional La France Dimanche	58 368	60 572	62 234	62 843	- 3,6 %	- 7,1 %
Midi Libre Dimanche	217 879	212 488	218 008	219 431	2,5 %	- 0,7 %
La Montagne Dimanche	254 803	241 918	249 002	247 583	5,3 %	2,9 %
Nice Matin Dimanche	245 616	247 410	251 533	249 193	- 0,7 %	- 1,4 %
Le Progrès Dimanche	380 466	349 655	341 638	366 503	8,8 %	3,8 %
Le Provençal Dimanche	167 366	175 681	173 875	160 583	- 4,7 %	4,2 %
Sud Ouest Dimanche	291 800	302 687	287 160	282 863	- 3,6 %	3,2 %
Figaro Magazine	665 094	666 074	688 668	652 620	- 0,1 %	1,9 %
France Soir Magazine	NC	NC	425 195	460 040		

Source : *OJD publié dans* Médias pouvoirs *n° 16 - Octobre 1989.*

L'audience des quotidiens en 1988-1989

QUOTIDIENS REGIONAUX

Titres	Lecture dernière période (LDP)		Lecture d'un n° moyen (LNM)		Habitudes de lecture régulière
	Nombre de lecteurs	%	Nombre de lecteurs	%	Nombre de lecteurs
L'Alsace	310 000	32,0	315 000	32,6	264 000
Le Courrier de l'Ouest	414 000	47,1	416 000	47,3	330 000
Le Dauphiné Libéré	1 268 000	26,9	1 316 000	27,9	1 020 000
La Dépêche du Midi	875 000	28,0	940 000	30,1	727 000
Les Dernières Nouvelles d'Alsace	679 000	53,0	677 000	52,8	541 000
L'Est Républicain	775 000	43,4	791 000	44,4	657 000
Midi Libre	606 000	31,1	628 000	32,2	517 000
La Montagne	787 000	42,8	794 000	43,1	662 000
Nice-Matin	690 000	40,2	696 000	40,5	545 000
La Nouvelle République du Centre-Ouest	839 000	30,6	868 000	31,6	714 000
Ouest-France	2 278 000	40,3	2 339 000	41,3	1 871 000
Paris-Normandie	406 000	15,0	429 000	15,9	318 000
Le Progrès	933 000	22,6	1 018 000	24,7	777 000
Le Provençal	973 000	35,2	1 010 000	36,6	809 000
Le Républicain Lorrain	524 000	39,9	575 000	43,8	471 000
Sud Ouest	1 202 000	38,6	1 227 000	39,4	972 000
Le Télégramme de Brest	517 000	33,3	517 000	33,3	445 000
L'Union	388 000	28,5	395 000	29,1	301 000
La Voix du Nord	1 206 000	35,0	1 298 000	37,7	949 000

Groupes	Lecture dernière période (LDP)		Lecture d'un n° moyen (LNM)		Habitudes de lecture régulière
	Nombre de lecteurs	% 42,9	Nombre de lecteurs	% 45,6	Nombre de lecteurs
Centre Bourgogne	555 000	29,6	590 000	31,5	472 000
Centre France	1 117 000	51,9	1 155 000	53,7	971 000
Courrier Picard/Oise	304 000	32,6	356 000	35,6	259 000
France-Est	1 229 000	45,2	1 206 000	44,4	960 000
Grand Ouest	5 785 000	45,3	5 933 000	46,4	4 854 000
Groupe Dauphiné/Progrès	2 352 000	37,6	2 449 000	39,1	1 914 000
Groupe La Dépêche	944 000	30,2	1 008 000	32,3	775 000
Groupe Inter Ouest	568 000	45,2	584 000	46,5	452 000
Groupe Nord	301 000	10,0	334 000	11,1	229 000
Groupe Normand	527 000	19,5	550 000	20,3	423 000
Jea Projalest	1 324 000	45,0	1 374 000	46,7	1 119 000
Journaux du Midi	951 000	48,8	971 000	49,9	808 000
Journaux de l'Ouest	2 498 000	44,2	2 550 000	45,1	2 060 000
Provençal/Méridional	1 213 000	38,2	1 248 000	39,3	987 000
Quotidiens du Sud-Ouest	1 486 000	47,7	1 523 000	48,9	1 234 000

L'audience des quotidiens en 1988-1989 (suite)

QUOTIDIENS NATIONAUX

Titres	Lecture dernière période (LDP)		Lecture d'un n° moyen (LNM)		Habitudes de lecture régulière
	Nombre de lecteurs	%	Nombre de lecteurs	%	Nombre de lecteurs
La Croix	197 000	0,4	283 000	0,6	196 000
L'Équipe	786 000	1,8	1 204 000	2,7	478 000
Le Figaro	1 159 000	2,6	1 406 000	3,2	714 000
France-Soir	633 000	1,4	964 000	2,2	460 000
L'Humanité	344 000	0,8	491 000	1,1	303 000
Libération	791 000	1,8	1 075 000	2,4	449 000
Le Monde	1 094 000	2,5	1 609 000	3,6	706 000
Le Parisien	1 308 000	3,0	1 561 000	3,5	1 091 000
Lit au moins 1 quotidien en France	23 101 000	52,3	24 415 000	55,3	
Lit au moins 1 quotidien national en France	5 182 000	11,7	6 634 000	15,0	
Lit au moins 1 quotidien national à Paris et dans la région parisienne	2 849 000	35,4	3 369 000	41,9	
Lit au moins 1 quotidien régional en France hors Paris et région parisienne	19 101 000	52,8	19 687 000	54,5	

QUOTIDIENS DU 7e JOUR

Titres	Lecture dernière période (LDP)		Lecture d'un n° moyen (LNM)		Habitudes de lecture régulière
	Nombre de lecteurs	% 42,9	Nombre de lecteurs	% 45,6	Nombre de lecteurs
Le Dauphiné Libéré dimanche	1 217 000	34,7			1 021 000
La Dépêche du Midi dimanche	870 000	27,9			773 000
Les Dernières Nouvelles du lundi	446 000	34,8			394 000
L'Est Républicain dimanche	922 000	51,7	données		852 000
L'Indépendant dimanche	270 000	44,9			240 000
Le Méridional la France dimanche	281 000	14,5			237 000
Midi Libre dimanche	655 000	33,6			649 000
La Montagne Centre France dimanche	672 000	36,5	non		631 000
Nice-Matin dimanche	622 000	36,2			531 000
Le Progrès dimanche	1 147 000	27,8	significatives		1 108 000
Le Provençal dimanche	899 000	32,8			797 000
Le Républicain Lorrain lundi matin	510 000	38,8			406 000
Sud-Ouest dimanche	1 038 000	33,3			936 000

Source : CESP *publié dans* l'Écho de la Presse - *octobre 1989.*

Les regroupements CESP

CENTRE BOURGOGNE :	*L'Echo Républicain, Le Bien public, L'Yonne Républicaine, La République du Centre.*
CENTRE FRANCE :	*La Montagne, Le Populaire du Centre, Le Berry Républicain, Le Journal du Centre.*
COURRIER PICARD/OISE :	*Le Courrier de l'Oise, Le Courrier Picard.*
FRANCE EST :	*L'Est Républicain, L'Ardennais, La Haute Marne libérée, L'Est Eclair, Libération Champagne, L'Aisne nouvelle.*
GRAND OUEST :	*La Montagne, Le Populaire du Centre, Le Berry Républicain, Le Journal du Centre, Ouest-France, Presse Océan, L'Eclair, La Liberté du Morbihan, Sud-Ouest, La France, Eclair Pyrénées, La République des Pyrénées, La Dordogne libre, La Nouvelle République du Centre Ouest.*
GROUPE DAUPHINE-PROGRES :	*Le Dauphiné libéré, Loire Matin-La Dépêche, Vaucluse Matin, Lyon Matin, Le Progrès-La Tribune, L'Espoir, Les Dépêches, L'Indépendant du Louhanais.*
GROUPE LA DEPECHE :	*La Dépêche du Midi, Le Petit bleu d'Agen, La Nouvelle République des Pyrénées.*
GROUPE INTER-OUEST :	*Le Courrier de l'Ouest, Le Maine Libre.*
GROUPE NORD :	*Nord Eclair, Nord Matin.*
GROUPE NORMAND :	*Paris Normandie, Le Havre Libre, Le Havre presse.*
JEA PROJEST :	*Les Dernières Nouvelles d'Alsace, Le Républicain Lorrain, La Liberté de l'Est.*
JOURNAUX DU MIDI :	*Le Midi Libre, Centre presse Aveyron, L'Indépendant.*

Source : CESP *1989*.

Le groupe Hersant en PQR

Publiprint Régions commercialise la publicité extralocale
de tous les titres appartenant à Hersant hors de Paris :

Le Dauphiné libéré, Le Progrès, Lyon Matin, Lyon Figaro, Vaucluse Matin, Loire Matin, La Tribune / L'Espoir, Les Dépêches, (et Le Courrier de Saône-et-Loire à compter du 1er janvier 1990).

Paris Normandie, Havre libre, Le Havre Presse, La Renaissance Le Bessin, Les Nouvelles de Falaise, L'Orne combattante, Le Pays d'Auge, L'Action républicaine, La Voix Le Bocage, Le Courrier de l'Eure, La Presse de la Manche.

Nord Eclair, Nord Matin, Nord Eclair Hebdo.

L'Union, Centre Presse, France Antilles, France Guyane, Les Nouvelles calédoniennes, La Dépêche de Tahiti.

Source : "Correspondance de la Presse" *1989*.

Les chiffres d'affaires 1986 de la presse régionale

(en milliers de francs hors T.V.A. - Commissions incluses)

1986	Nombre de titres	Recette de vente au numéro	Recette de vente par abonnement	Recette totale de vente	%	Recette de publicité commerciale	Recette de petites annonces	Recette totale de publicité	%	Recette globale	Part en %
Quotidiens	75	4 935 025	1 425 741	6 360 766	62,27%	2 925 937	928 811	3 854 748	37,73%	10 215 514	82,66%
Journaux du 7e jour	22	566 913	41 902	608 815	66,65%	235 916	68 766	304 682	33,35%	913 497	7,39%
Hebdoma-daires	304	251 415	211 527	462 942	39,29%	388 411	326 917	715 328	60,71%	1 178 270	9,53%
Mensuels	27	12 914	10 324	23 238	55,60%	18 532	24	18 556	44,40%	41 794	0,34%
Trimestriels	7	3 916	1 485	5 401	56,70%	4 124	0	4 124	43,30%	9 525	0,08%
Ensemble	435	5 770 183	1 690 979	7 461 162	60,37%	3 572 920	1 324 518	4 897 438	39,63%	12 358 600	100%

Source : "Presse et Statistiques" n° 13, SJTI 1989.

Le poids économique des entreprises de communication en 1988
(en millions de francs)

Rang	Raison Sociale	Rang Général	*	Secteur	Conso-lidation	Chiffre d'Affaires	1988 1987 (%)	Capitaux Propres	Effectif	Caf (MBA)	Résultat Net
1	HACHETTE (MARLIS) (3)	52	*	EDI	C	24 404		3 425	28 500	879	323
2	HAVAS	78	*	EDI	C	15 796	15,2	2 151	9 407	747	746
3	GROUPE DE LA CITE (66)	248	*	EDI	C	4 961	8,7	1 770	7 350	354	359
4	TF1 (16)	264	*	EDI		4 691		635	1 473	318	210
5	CANAL +	282	*	EDI	C	4 340	27,6	1 066	575	1 158	618
6	CEP COMMUNICATION	287	*	EDI	C	4 241	32,0	1 565	5 400	356	273
7	GENERALE OCCIDENTALE (132)	336	*	EDI	C	3 575		5 403	7 928	467	402
8	FR3	366		EDI		3 164	5,6	685	3 198	302	23
9	SALOMON (44)	368	*	LOI	C	3 151	24,0	1 589	2 588	400	236
10	TELEDIFFUSION DE FRANCE	386		EDI		2 960	-0,8	2 646	4 000	743	86
11	ANTENNE 2	405		EDI		2 835	1,7	874	1 302	-25	-99
—	SNC EDI 7 (FEP)	476		EDI		2 391					
12	FRANCE LOISIRS	524		EDI	C	2 139	6,7		1 226		259
13	NMPP	526		EDI		2 122	-1,9		4 762		
14	RADIO FRANCE	573		LOI		1 916	1,0	291	3 035	76	2
15	PARI MUTUEL URBAIN	587		LOI		1 836	3,0		2 732		
16	IMPRIMERIE JEAN DIDIER	615		EDI	C	1 752	22,5	111	1 663	179	6
17	PRISMA PRESSE (GRUNER + JAHR. RFA)	639		EDI		1 681	10,5	20	436		
18	LES EDITIONS P.AMAURY	651		EDI	C	1 642	5,4	269	1 600	40	13
19	PUBLICATIONS FILIPACCHI	660	*	EDI	C	1 619	2,0	608	860	119	106
20	SKIS ROSSIGNOL	668	*	LOI	C	1 603	6,1	383	2 792	80	24
21	QUILLET	711	*	EDI	C	1 501					34
22	FRANCE LOTO	754		LOI		1 359	3,5	733	1 068	387	112
23	BAYARD-PRESSE	762		EDI	C	1 336	10,0	48	1 813	72	4
—	LIBRAIRIE FERNAND NATHAN (GROUPE LA CITE)	772		EDI	C	1 309	6,6				
24	LE MONDE	808		EDI	C	1 238	16,0	102	1 174	70	36
25	OUEST FRANCE	813		EDI		1 232	10,1				19
—	COMAREG (HAVAS)	858		EDI	C	1 162	6,1	56	1 401		33
26	PUBLICATIONS VIE CATHOLIQUE	863		EDI		1 155	1,7	31	1 147	21	-1
27	GROUPE SUD OUEST	867		EDI		1 150	13,0	152	2 171	63	40
28	SFP	872		LOI		1 141	-1,8	71	2 200	29	-129
29	PHOX (77)	923		LOI	C	1 069	8,6				
—	LE LIVRE DE PARIS (HACHETTE)	938		EDI		1 053					106
30	PATHE MARCONI EMI (THORN EMI)	945		LOI	C	1 047	49,0	147	537	83	59
31	MOORE PARAGON (MOORE CDN)	978		EDI	C	1 003	3,2	194	1 850	59	23
—	COGEDIPRESSE (FILIPACCHI)	986		EDI		997		144			45
—	PRESSES DE LA CITE (GROUPE LA CITE)	1006		EDI	C	973	3,5				
32	EXPAND	1031	*	EDI	C	941	7,5	111	2 000	66	32
33	UGC	1033		LOI	C	939	29,0	241	503	272	11
—	LIBRAIRIE LAROUSSE (GROUPE LA CITE)	1091		EDI		887	9,1				
—	L'EXPRESS (GALE OCCIDENTAL)	1112		EDI		869		37	400	64	25
—	FINANCIERE DANEL (FEP)	1137	*	EDI	C	838	3,2	150	1 050	57	50
34	EDITIONS ROBERT LAFFONT (FINEDIT)	1150		EDI	C	824	16,0	107	498	35	17
35	LA VOIX DU NORD	1153		EDI		822	7,3	225	1 412	71	16
36	GROUPE EXPANSION	1154		EDI		821	3,0	240	700		
37	AGENCE FRANCE-PRESSE (1)	1174		EDI		806	5,0	205	2 000		
38	GAUMONT (CINEPAR)	1187	*	LOI	C	793	4,6	233	648	286	69
39	LA MONTAGNE	1219		EDI	C	765	8,7	250	1 241	47	14
40	MIDI LIBRE	1235		EDI	C	753	10,0	155	1 389	45	29
—	FEP (HACHETTE)	1242		EDI		748		1 134			70
41	SAD	1245		EDI		744		85			3
—	HELIOGRAVURE JEAN DIDIER (JEAN DIDIER)	1248		EDI		741	30,6	63	460	79	9
42	TRIGANO	1263		LOI	C	733		213	1 001	16	5
43	LIBRAIRIE ERNEST FLAMMARION	1281		EDI	C	720			836		
44	SELECTION DU READER'S DIGEST (READER'S DIGEST USA)	1290		EDI		710	12,0	113	426	66	55
45	LA CINQ	1320		EDI		695	*		380		-794
46	L'EST REPUBLICAIN	1374	*	EDI		657	7,8	124	1 190	28	10
—	L'EQUIPE (EDITIONS AMAURY)	1379		EDI		654	4,0	39	402	11	5
47	MATTEL FRANCE (MATTEL USA)	1413		LOI		637	-20,0	206	151	46	43
48	LA DEPECHE DU MIDI	1435		EDI	C	622	2,2	126	1 351	11	1
49	NICE-MATIN	1462		EDI		609	9,2	161	779	37	10
—	LES DERNIERES NOUV. D'ALSACE (QUILLET)	1474	*	EDI		602	7,6	223	1 174	33	13
—	BORDAS (GROUPE LA CITE)	1478		EDI		600	12,1				
50	COGEDEP	1491		EDI		590	13,5	-3	268	4	0,7
51	MARIE CLAIRE ALBUM	1526		EDI	C	560		98	407	35	28
—	EDIMONDE LOISIRS (HACHETTE)	1558		EDI		545	21,3				

Le poids économique des entreprises de communication en 1988 (suite)
(en millions de francs)

Rang	Raison Sociale	Rang Général	*	Secteur	Conso-lidation	Chiffre d'Affaires	1988 1987 (%)	Capitaux Propres	Effectif	Caf (MBA)	Résultat Net
52	EDITIONS ATLAS (AGOSTINI, I)	1566		EDI		542		111	305	17	13
53	LE REPUBLICAIN LORRAIN	1625		EDI	C	519	11,7	113	866	24	5
54	MAJORETTE (74)	1626	*	LOI	C	518	2,7	259	850	86	16
—	SETRADIS-BERTELSMANN FRANCE (PRESSES CITE)	1701		EDI		493	11,6				
55	RMC (SOFIRAD)	1708		EDI		490		184	460	38	20
56	L'ALSACE (CREDIT MUTUEL)	1712		EDI	C	488	9,0	102	799	42	12
57	LES ECHOS (PEARSON GB)	1715		EDI	C	487	22,7	237	300	86	71
58	LE PROVENCAL	1739		EDI		479	6,6				
59	LA REPUBLIQUE CENTRE OUEST	1773		EDI		466	4,6	75	935		22
60	IMPRIMERIE BERGER-LEVRAULT (45)	1777	*	EDI	C	464	2,0	67	757	25	5
61	INSTITUT NATIONAL AUDIOVISUEL	1810		EDI		453	2,3	295	988	41	0,4
62	GROUPE LIAISONS	1841		EDI		442	14,5		462		
63	LIBERATION SNPC (SAIP)	1873		EDI		427	28,8	-10	331	22	16
64	DPC STRITTMATTER (KODAK-PATHE) (9)	1901		LOI		419		140	849	35	11
—	LES PUBLICATIONS DU MONITEUR (CEP)	1917		EDI	C	413					
65	KENNER PARKER TONKA FRANCE (TONKA INTERNAT. USA)	1921		LOI		412	-3,0	39	300	25	21
66	LE GRAND LIVRE DU MOIS	1925	*	EDI	C	409	30,0	42	302	16	10
67	LIBRAIRIE HATIER	2019		EDI		378			306		
—	IMPRIMERIE HELIO-CORBEIL (HACHETTE)	2030		EDI		375	23,7				
68	PATHE CINEMA	2064	*	LOI	C	369	-1,0	181	477	72	8
—	IMPRIMERIE ALSACIENNE DIDIER (JEAN DIDIER)	2094		EDI		360	12,0		397	46	5
69	LE POINT (CINEPAR) (30)	2098		EDI		358	0,9	23	239	2	0,3
70	SELECTION DISQUES DE L'OUEST (HAMEUR ET CIE)	2175		LOI		335	24,5	20	185	5	4
71	EDITIONS TECHNIQUES (35)	2222		EDI		324	5,9	42	521	12	10
72	NRJ (36)	2259		EDI	C	315			135		68
73	LE TELEGRAMME DE BREST	2293		EDI		306	6,0		600		4
74	EDITIONS DU SEUIL	2316		EDI	C	300	17,7	45	240	15	11
75	PARTENAIRES	2344		EDI	C	294	81,0	85	586	27	13
—	L'USINE NOUVELLE (CEP)	2354		EDI		292		64			15
76	EXCELSIOR PUBLICATIONS	2359		EDI		290	11,9	68	195	11	9
77	LES PUBLICATIONS CONDE NAST (ADVANCE MP. USA)	2403		EDI		279	23,3	52	259	4	2
—	SKIS DYNASTAR (SKIS ROSSIGNOL) (44)	2434		LOI		272	3,1	119	602	21	10
78	SMOBY	2442	*	LOI		271	3,0	198	505	34	21
79	TELERAMA (VIE CATHOLIQUE)	2481		LOI		263	9,3	4	189	4	0,9
80	LOOK (GROUPE B. TAPIE)	2531		LOI		254		-31			-9
81	EUROSUD PUBLICITE	2636		EDI		238	9,3	7	144	1	0,8
82	IDEAL LOISIRS	2638		LOI	C	238	41,0		152		14
83	EXPAND IM (EXPAND)	2726		EDI		221	6,0	2	895		0,4
—	BRODARD GRAPHIQUE (FEP)	2747		EDI		219	5,6	21	282	26	11
84	ISTRA	2785		EDI		215	7,0	-25	410	20	15
85	IMPRIMERIE VIEILLEMARD (SOGESDIC)	2788		EDI	C	214	15,3	37	343	13	3
86	PROMOTION CULTURE LOISIRS	2815		LOI		210		80	585	153	78
87	FISHER PRICE FRANCE (QUAKER OATS CIE USA)	2826		LOI		209	0,3	17	50	14	14
88	METROPOLE TELEVISION M6	2849		EDI		206		-36	394	-278	-405
89	SIACO	2868	*	EDI	C	204	17,1	57	231	26	17
90	IPM	2869	*	EDI	C	204	17,0	57	231	25	17
—	IMPRIMERIE DE MASSY J. DIDIER (JEAN DIDIER)	2903		EDI		200	2,5	5	316	1	
91	FABREGUE	2908		EDI		199	14,7	22	385	13	5
92	DIAL (POLYGRAM)	2940		LOI		194	8,7	0,5	118	5	4
93	REPUBLIQUE VAR MATIN	3014		EDI		184	5,7				
94	EDITIONS QUO VADIS (42)	3064	*	EDI	C	177	19,8	32			6
—	SCIA (BAYARD PRESSE)	3128		EDI	C	168	0,6	16	410	11	2
95	LE COURRIER DE L'OUEST	3129		EDI		168	4,9	35	350	5	1
96	DUN & BRADSTREET FRANCE (DUN & BRADSTR. USA)	3178		EDI		162			426		
97	UNION FRANCAISE D'IMPRESSION	3184		EDI		161	14,8	8	245		
98	MALENGE	3194		EDI	C	160	9,1	23	210	7	3
99	PRESSE 31 & CIE	3267		EDI		151	18,0	15	20	10	10
100	SMEPP	3287		EDI		150	3,0	24	165	12	5
101	RENN PRODUCTIONS	3309		LOI		148		100			2
102	LE NOUVEAU MERIDONIAL	3337		EDI		146	8,8				

Le poids économique des entreprises de communication en 1988 (suite)
(en millions de francs)

Rang	Raison Sociale	Rang Général	*	Secteur	Conso-lidation	Chiffre d'Affaires	1988 1987 (%)	Capitaux Propres	Effectif	Caf (MBA)	Résultat Net
103	HARLEQUIN	3342		EDI		145			70		
104	SODEX-PLATEAU	3345		LOI		145	4,0	20	242	8	7
105	LAMY	3348		EDI		145	25,1	39	185	14	11
—	NEPA - LA FRANCE AGRICOLE (CEP)	3356		EDI		145		66			9
106	JOUVE (SCPP)	3429		EDI		137	9,9	47	520	17	7
—	LE NOUVEL ECONOMISTE (HFP)	3438		EDI		137	6,2	30	105		2
107	MONNERET JOUETS (30)	3448	*	LOI		136	13,8	49	251	10	4
108	JIBENA	3499		EDI		130	1,0	12	35	4	2
109	SETTF (MOTOR-PRESSE, RFA)	3512		EDI		128	5,4	8	68	5	3
110	DYNAMIC (ATOMIC. A)	3555		LOI		124		26	212	5	0,7
111	IMPRIMERIE PIERRE BOURQUIN	3629		EDI		118	27,0	17	111	7	1
112	LA REPUBLIQUE DU CENTRE	3647		EDI		116	11,8	15	259	5	1
113	SICA DUPREZ	3666		EDI		114	10,6	5	225	3	1
114	SOFICI	3667		EDI		114	1,0	22	251	5	1
115	CALLIPRESS (CLAIREFONTAINE) (126)	3746		EDI		107					2
116	EDITIONS RAVENSBURGER (RAVENSBURGER RFA)	3750		LOI		107	26,0	35	59	10	8
117	IMPRIMERIE GRESSET	3800		EDI		102	9,0	8	221	5	1
—	EDITIONS ROMBALDI (HACHETTE)	3826		EDI		100	-35,5	-30		3	-15
118	STRATEGIES	3833		EDI	C	99			156	2	0,7
119	EDITIONS BELIN	3838		EDI		99	12,0	30	78	5	4
120	EDITIONS BELFOND	3845	*	EDI	C	98		40	90	12	8
—	EDITIONS GRASSET ET FASQUELLE (HACHETTE)	3850		EDI		97	28,0	23	43	3	2
121	EDITIONS MODERNES PARISIENNES	3887		EDI		93	-5,0	13	108	-0,06	-0,5
122	SNEI (OFF. D'ANNONCES)	3896		EDI		93	11,4	13	162	7	6
123	ALSACE IMPRIMERIE COMMERCIALE	3898		EDI		92	8,0	9	96	3	0,9
124	LA HAUTE MARNE LIBEREE	3901		EDI		92	11,3	6	291	2	0,04
125	CIE FRANCAISE D'IMPRESSION	3904		EDI		92		26		13	3
126	L'YONNE REPUBLICAINE	3940		EDI		90	5,1	39	206	8	4
—	EDITIONS J'AI LU (FLAMMARION)	3954		EDI		89	-7,1	36	45	7	6
127	EDITIONS MICHEL OKS	4007		EDI		84	9,1	9	41	1	0,6
128	IMPRIMERIE TARDY QUERCY (35)	4014		EDI		84	6,2	2		2	1
—	LIBRAIRIE ARTHEME FAYARD (HACHETTE)	4016		EDI		83	-9,4	13	30	3	3
129	GAILLARD	4031	*	LOI	C	81	8,2	49		6	3
—	ARTS GRAPHIQUES MODERNES (HACHETTE)	4047		EDI		80	0,1	15	197	8	3
	TOTAL					136 940		31 237	142 199	8 916	3 609

Source : Le Nouvel Economiste 1989. "Classement des 6 345 premières sociétés françaises européennes et mondiales".
* = Cotée en bourse.

L'évolution des recettes publicitaires des quotidiens régionaux

	1977	1978	1979	1980	1981	1982	1983	1984	1985	1986	1987	1988 estim.
Total Pub commerciale en %	76,5	76	75,5	76,5	77	77,5	78	78,5	77,5	77	75,5	74
Extra-locale	19	19	15,5	17,5	16	16	16	15	14,5	14	13,5	13,5
Locale	57,5	59	60	59	61	61,5	62	63,5	63	63	62	60,5
Petites annonces en %	23,5	24	24,5	23,5	23	22,5	22	21,5	22,5	23	24,5	26
Total en MF	1 715	1 890	2 354	2 560	2 765	3 100	3 445	3 645	3 900	4 200	4 700	5 150

Source : IREP publié dans Décisions Médias, septembre 1989.

L'investissement publicitaire dans les quotidiens régionaux par secteur (en MF)

1988			
	Ensemble secteurs	4 127 506	100,0
1	Distribution	794 159	19,2
2	Ameublement-décoration	763 838	18,5
3	Industrie du transport	593 461	14,4
4	Services	346 441	8,4
5	Edition, médias	294 850	7,1
6	Immobilier	276 048	6,7
7	Culture, loisirs	276 019	6,7
8	Habillement & accessoires	191 492	4,6
9	Communications-tourisme	151 081	3,7
10	Bâtiment-travaux publics	75 827	1,8

Source : *SECODIP, publié dans* Décisions Médias, *septembre 1989.*

Les 10 premiers annonceurs de la PQR (en MF)

Rang	Annonceurs 1988	Total presse (*)	PQR(*)	Cumul(*)
1	Renault automobiles	341 626	166 472	166 472
2	Mammouth magasins	76 540	69 494	235 966
3	Cora magasins	64 491	64 060	300 027
4	Centre Leclerc magasins	76 298	56 734	356 761
5	Ford France	133 290	55 872	412 633
6	Le Géant du Meuble	52 882	52 882	465 515
7	Auchan	59 642	52 816	518 331
8	PSA-Citroën	120 478	51 679	570 100
9	Conforama	54 335	51 177	621 277
10	Intermarché magasins	51 608	50 133	671 410

Source : *SECODIP, publié dans* Décisions Médias, *septembre 1989.*

La PQR au sein des grands médias
Recettes publicitaires

MEDIAS	1988 en MF	En %	Evolution 87-88 en %
Presse (2)	22 965	55,6	+ 13
Dont - quotidiens de Paris	2 795	6,8	+ 17,5
- quotidiens régionaux	5 150	12,5	+ 9,5
Télévision	10 160	24,6	+ 27
Pub extérieure (3)	4 860	11,7	+ 11
Radio	2 965	7,2	+ 11,5
Cinéma	370	0,9	- 6
Total	41 320	100	+ 15,5

Source : *IREP, publié dans* Décisions Médias, *septembre 1989.*

Prix d'un quotidien d'information régionale (moyenne)

USA	1,60 F
ROYAUME-UNI	2,10 F
SUEDE	2,10 F
FINLANDE	2,40 F
PAYS-BAS	2,50 F
JAPON	2,80 F
RFA	2,90 F
FRANCE	3,80 F

Source : *Rapport Erik Lambert 1987.*

La presse quotidienne française :
le ratio diffusion/population dans le monde

Rang	Pays	Nombre d'exemplaires (moyenne quotidienne) (1)		Rang	Pays	Nombre d'exemplaires pour 1 000 habitants (moyenne quotidienne) (1)	
		1986	1987			1986	1987
1	Japon	68 653 409	70 194 000	1	Japon	567	580
2	USA	62 500 000	62 826 000	2	Finlande	545	556
3	GB	22 220 000	21 933 000	3	Suède	534	535
4	RFA	20 822 000	21 046 000	4	Norvège	531	542
5	France	9 557 000	9 557 000	5	Suisse	423	423
6	Italie	6 365 661	6 618 000	6	GB	403	398
7	Pays-Bas	4 527 000	4 564 000	7	Danemark	358	356
8	Suède	4 462 000	4 469 000	8	Autriche	351	351
9	Espagne	3 000 000	3 000 000	9	RFA	341	345
10	Suisse	2 728 000	2 728 000	10	Luxembourg	315	315
11	Finlande	2 664 947	2 719 000	11	Pays-Bas	312	314
12	Autriche	2 650 000	2 650 000	12	USA	267	269
13	Norvège	2 209 301	2 268 000	13	Belgique	187	185
14	Belgique	1 847 000	1 821 000	14	France	176	176
15	Danemark	1 830 567	1 821 000	15	Israël	136	144
16	Grèce	1 306 000	1 289 000	16	Grèce	134	132
17	Israël	550 000	580 000	17	Italie	111	116
18	Portugal	300 000	300 000	18	Espagne	78	78
19	Rép. Domini.	200 000	200 000	19	Rép. Domini.	35	35
20	Luxembourg	115 000	115 000	20	Portugal	30	30

Source : *FIEJ publié dans* Décisions Médias, *septembre 1989.*

Adresses utiles

I Les syndicats professionnels

Syndicat de la presse quotidienne régionale

17, place des Etats-Unis,
75116 Paris.
Tél : (1) 47 23 36 36.
Télex : 630510.
Télécopie : (1) 47 20 48 94.

Membres :
L'Alsace

25, avenue Kennedy
68200 Mulhouse.
Tél : 89 43 99 44.
Télex : 881818.

Le Bien Public

7, boulevard du Chanoine-Kir
BP 550-21015 Dijon Cedex.
Tél : 80 42 42 42.
Télex : 350970.

La Charente Libre

ZI n°3 - BP 106
16001 Angoulême.
Tél : 45 69 33 33.
Télex : 79150.

Le Courrier de l'Ouest

Boulevard Albert-Blanchoin
"Les Maulévries" - BP 728
49005 Angers Cedex.
Tél : 41 66 21 31.
Télex : 720997.

Le Courrier Picard

29, rue de la République
80010 Amiens.
Tél : 22 82 60 00.
Télex : 145558.

Le Dauphiné libéré

38113 Veurey-Voroize.
Tél : 76 88 71 00.
Télex : 320822.

La Dépêche du Midi

Avenue Jean-Baylet
31095 Toulouse Cedex.
Tél : 61 41 11 49.
Télex : 531570.

Les Dépêches

2, avenue Garibaldi
21015 Dijon Cedex.
Tél : 80 73 12 12.

Les Dernières Nouvelles d'Alsace

17, rue de la Nuée-Bleue
67001 Strasbourg Cedex.
Tél : 88 23 31 23.
Télex : 880445.

L'Écho du Centre

18, rue Turgot, BP 537
87011 Limoges Cedex.
Tél : 55 34 46 35.

L'Éclair

5, rue de Santeuil
44010 Nantes Cedex.
Tél : 40 73 44 45.

L'Équipe

4, rue Rouget-de-l'Isle
92137 Issy-Les-Moulineaux
Cedex.
Tél : (1) 40 93 20 20.
Télex : 203004.

L'Espoir

110, rue Bergson
42000 Saint-Etienne.
Tél : 77 74 91 55.

L'Est Républicain

Rue Renaudot
Nancy Houdemont
54185 Heillecourt Cedex.
Tél : 83 59 80 54.
Télex : 850019.

La France-La Nouvelle République

ZI n° 3 - BP 3
16004 Angoulême.
Tél : 45.69.33.33.
Télex : 79150.

Le Journal du Centre

3, rue du Chemin-de-Fer
58001 Nevers.
Tél : 86 61 45 00.

Le Journal de la Corse

1, rue du Général-Campi
20000 Ajaccio.
Tél : 95 21 01 84.

Liberté

113, rue de Lannoy
59023 Lille Cedex.
Tél : 20 56 93 50.

Lyon Matin

14, place de la Charité
69002 Lyon.
Tél : 78 42 56 91.

Le Maine Libre

28, place de l'Eperon
72000 Le Mans.
Tél : 43 85 16 50.
Télex : 720638.

La Marseillaise

17, cours d'Estienne-d'Orves
13222 Marseille Cedex 1.
Tél : 91 57 75 00.

Le Méridional

4, rue Cougit
13316 Marseille Cedex 15.
Tél : 91 84 45 45.

Midi Libre

"Le Mas de Grille"
34063 Montpellier Cedex.
Tél : 67 42 00 44.
Télex : 480650.

La Montagne

28, rue Morel-Ladeuil
63000 Clermont-Ferrand.
Tél : 73 34 69 00.
Télex : 990588.

Nice Matin   214, route de Grenoble
                              BP 4, 69029 Nice Cedex.
                              Tél : 93 21 71 71.

Nord Éclair   22-24, avenue Charles-Saint-
                              Venant, BP 563, 59800 Lille.
                              Tél : 20 06 45 20.

La Nouvelle République du Centre-Ouest   232, avenue de Grammont
                              37048 Tours Cedex.
                              Tél : 47 31 70 00.
                              Télex : 750693.

Ouest-France   35051 Rennes Cedex.
                              Tél : 99 03 62 22.
                              Télex : 730965.

Le Parisien   25, avenue Michelet
                              93400 Saint-Ouen.
                              Tél : (1) 40 10 30 30.
                              Télex : 660041.

Paris-Normandie   19, place de Gaulle
                              76004 Rouen.
                              Tél : 35 14 56 56.
                              Télex : 771507.

Le Populaire du Centre   Rue du Général-Catroux
                              87011 Limoges Cedex.
                              Tél : 55 30 50 09.
                              Télex : 580065.

Presse Océan   7-8 allées Duguay-Troin
                              44024 Nantes Cedex.
                              Tél : 40 44 24 00.
                              Télex : 700439.

Le Progrès   93, chemin de Saint-Priest
                              69680 Chassieu.
                              Tél : 72 22 23 23.
                              Télex : 340004.

Le Provençal   248, avenue Roger-Salengro
                              BP 100
                              13316 Marseille Cedex 15.
                              Tél : 91 84 45 45.
                              Télex : 440805.

Le Républicain lorrain	3, rue Saint-Eloy 57140 Woippy. Tél : 87 33 22 00. Télex : 860346.
La République du Centre	Rue de la Halte, BP 35 Sarran 45400 Fleury-Les-Aubrais. Tél : 38 86 37 68. Télex : 780702.
Sud-Ouest	8, rue de Cheverus 33003 Bordeaux Cedex. Tél : 56 90 92 72. Télex : 570670.
Le Télégramme de Brest	Rue Anatole-le-Braz 29205 Morlaix Cedex. Tél : 98 62 11 33. Télex : 940652.
La Tribune	110, rue Bergson 42000 Saint-Etienne. Tél : 77 74 91 55.
L'Union	87, place Drouet-d'Erlon BP 47 51100 Reims Cedex. Tél : 26 40 24 48. Télex : 830751.
Var Matin-République	Route de la Seyne 83190 Ollioules. Tél : 94 06 91 91. Télex : 400691.
La Voix du Nord	8, place de Gaulle 59023 Lille Cedex. Tél : 20 78 40 40.
Syndicat des quotidiens départementaux	6 bis, rue Gabriel-Laumain, 75010 Paris. Tél : 48 24 98 30. Télécopie : 42 4614 03.
Syndicat de la presse parisienne	6 bis, rue Gabriel-Laumain, 75010 Paris. Tél : 48 24 98 30. Télécopie : 42 4614 03.

Fédération nationale de la presse française	6 bis, rue Gabriel-Laumain, 75010 Paris. Tél : 48 24 98 30. Télécopie : 42 4614 03.
Groupement des grands régionaux (GGR)	3, rue de Rigny, 75008 Paris. Tél : 43 87 12 30.
Inter Presse Offset (IPO)	Rue de la Halte, BP 35 Sarran, 45400 Fleury-Les-Aubrais. Tél : 38 86 37 68. Télex : 780702.

II Les organismes de presse

Agence France Presse (AFP)	11, place de la Bourse, 75002 Paris cedex. Tél : 42 33 44 66 et 47 7Q 99 59.
Bureau de vérification de la publicité (BVP)	5, rue Jean-Mermoz, 75008 Paris. Tél : 43 59 89 45.
Centre d'études des supports de publicité (CESP)	32, avenue Georges-Mandel, 75016 Paris. Tél : 45 53 22 10.
Centre d'information sur les médias (CIM)	33, rue du Louvre, 75002 Paris. Tél : 45 08 86 71.
Centre national de la communication sociale (CNCS)	50, rue Gauthier-de-Châtillon, 59046 Lille cedex. Tél : 20 54 48 21.
Commission de coordination de la documentation administrative	72, rue de Varenne, 75700 Paris. Tél : 45 56 84 07 et 45 56 84 08.
Commission de la carte d'identité des journalistes professionnels	160, rue Lafayette, 75010 Paris. Tél : 42 41 17 17.
Commission paritaire des publications et agences de presse	14, boulevard de la Madeleine, 75009 Paris. Tél : 42 65 46 69.
Fédération française des agences de presse	33, rue Laborde, 75008 Paris. Tél : 42 93 42 57.
Fédération nationale de la publicité	40, boulevard Malesherbes, 75008 Paris. Tél : 47 42 13 25.
Institut de recherche et d'étude publicitaire (IREP)	62, rue La Boétie, 75008 Paris. Tél : 42 25 92 28.
Office de justification de la diffusion des supports de publicité (OJD)	40, boulevard Malesherbes, 75008 Paris. Tél : 47 42 72 51.

Service d'information et de diffusion (SID) 19, rue de Constantine,
75008 Paris. Tél: 42 75 80 00.

Service juridique et technique
de l'information (SJTI)
69, rue de Varenne, 75700 Paris.
Tél: 42 75 86 00.

Société professionnelle des papiers
de presse (SPPP)
9-15, avenue Paul-Doumer,
BP 217
92503 Rueil-Malmaison cedex.
Tél: 47 32 92 52.

III Les organismes pour la presse à l'école

Association presse enseignement
jeunesse (APE)
France Soir, 100, rue Réaumur,
75002 Paris. Tél: 42 33 22 28.

Association régions presse
enseignement jeunesse (ARPEJ)
17, place des Etats-Unis,
75016 Paris. Tél: 47 23 36 36.

Centre de liaison de l'enseignement
et des moyens d'information (CLEMI)
391, rue de Vaugirard,
75015 Paris. Tél: 42 50 78 54.

Comité d'information pour la presse
dans l'enseignement (CIPE)
16, rue Chabrol, 75010 Paris.
Tél: 42 96 58 10.

Centre national de diffusion
pédagogique (CNDP)
29, rue d'Ulm, 75270 Paris 05.
Tél: 42 29 21 64.

IV Les établissements d'enseignement du journalisme

Centre de formation et de
perfectionnement des journalistes (CFPJ)
33, rue du Louvre, 75002 Paris.
Tél: 45 08 86 71.

Centre transméditerranéen
de la communication
Université Aix-Marseille II,
jardin du Pharo,
boulevard Charles-Livon,
13007 Marseille.
Tél: 91 52 90 34.

Centre universitaire d'enseignement
du journalisme
10, rue Schiller,
67083 Strasbourg.
Tél: 88 36 30 32.

Ecole supérieure du journalisme
50, rue Gauthier-de-Châtillon,
59046 Lille cedex.
Tél: 20 54 48 21.

Institut des hautes études de l'information   77, rue de Villiers,
et de la communication (Celsa)   92523 Neuilly cedex.
                                                        Tél : 47 45 17 90.

Institut universitaire de technologie et unité   Domaine universitaire de
pluridisciplinaire des techniques d'expression   Talence, 33405 Talence.
et de communication   Tél : 56 80 70 33.,
                                                        postes 304 et 307.

Institut universitaire de technologie :   22, rue du Pont-Volant,
département carrières de l'information   37023 Tours cedex.
                                                        Tél : 47 54 32 32.

Bibliographie

Revues professionnelles

La correspondance de la presse (quotidien), 13, avenue de l'Opéra, 75001 Paris.
Stratégies (hebdomadaire), 15 bis, rue Ernest-Renan, BP 62, 92133 Issy-les-Moulineaux.
Médias (hebdomadaire), 55, rue d'Amsterdam, 75008 Paris.
Communication, CB News (hebdomadaire), 175, rue d'Aguesseau, 92100 Boulogne.
Le journal des médias (bimensuel), 15 bis, rue Ernest-Renan, BP 62, 92133 Issy-les-Moulineaux.
Décisions médias (mensuel), 60, rue du Pdt-Wilson, 92300 Levallois-Perret.
L'écho de la presse (mensuel), 14, rue Chaptal, 92303 Levallois-Perret Cedex.
Médias pouvoirs (trimestriel), 41, rue François-Ier, 75008 Paris.
Midi-média (mensuel), 5, rue Alsace-Lorraine, 31000 Toulouse.

Ouvrages de référence

ALBERT (Pierre), *La presse française*, la Documentation française, 1982.
BALLE (Francis), *Médias et société*, Montchrestien, 1980.
BOWER (Tom), *Maxwell*, Plon, 1989.
CAYROL (Roland), *La presse écrite et audiovisuelle*, PUF, 1973.
DERIEUX (Emmanuel) et TEXIER (J.-C.), *La presse quotidienne française*, Armand Colin, 1974.

GUILLAUMA (Yves), *La presse en France,* la Découverte, 1988.

GUILLOU (Bernard), *Les stratégies multimédias des groupes de communication,* la Documentation française, 1984.

MORGAINE (Daniel), *L'imaginatique à la une,* la Table Ronde, 1990.

PONS (Dominique), *H comme Hersant,* Alain Moreau, 1977.

ROUX (Bernard), *Chauds les médias !,* Trimédia, 1985.

SAUVAGE (Christian), *Journaliste, une passion, des métiers,* CFPJ, 1988.

SERVAN SCHREIBER (Jean-Louis), *Le pouvoir d'informer,* Laffont, 1972.

VOYENNE (Bernard), *L'information aujourd'hui,* Armand Colin, 1979.

Presse quotidienne régionale

ARCHAMBAULT (François) et LEMOINE (Jean-François), *4 milliards de journaux,* Alain Moreau, 1977.

BESSON (Alain), *La presse locale en liberté surveillée,* Editions ouvrières, 1977.

CAU (Yves), *Le Progrès, un grand quotidien dans la presse,* PUF, 1979.

DILIGENT (André), *Un cheminot sans importance,* France empire, 1975.

FRAPPAT (Pierre), *Grenoble, le mythe blessé,* Alain Moreau, 1979.

FREVILLE (Henri), *La presse bretonne dans la tourmente : 1940-1946,* Plon, 1979.

GRANDMAISON (Henri de), *La province trahie,* Le Cercle d'or, 1975.

GRASSIN (Maurice), *Qu'on m'envoie un journaliste pour croquer la rosière,* Le Signor, 1980.

GUERY (Louis), *Quotidiens régionaux,* CFPJ/ARPEJ, 1987.

HIRTZ (Colette), *L'Est Républicain 1889 - 1914,* PUG, 1973.

KAISER (Jacques), *La presse de province sous la IIe République,* Armand Colin, 1958.

LERNER (Henri), *La Dépêche, journal de la démocratie, contribution à l'histoire du radicalisme en France sous la IIIe République,* Publications Université de Toulouse, 1978.

MABILEAU (Albert), TUDESQ (Jean-André), *L'information locale,* Pédore, 1980.

MATHIEN (Michel), *Médias en région : l'exemple de l'Alsace,* Presses Universitaires de Nancy, 1987.

MATHIEN (Michel), *La presse quotidienne régionale,* QSJ, PUF, 1983.

MONTERGNOLE (Bernard), *La presse grenobloise de la Libération,* PUG, 1974.

PHILIP (Anne), *La presse quotidienne régionale française,* IPEC, 1979.

PUHL-DEMANGE (Marguerite), *La Lorraine du quotidien,* EPI, 1986.

ROTH (François), *Le temps des journaux : presse en Lorraine mosellane, 1860-1940,* Editions Serpenoises, 1983.

SNPQR, *L'outil PQR,* Paris, 1990.

TIBI (Jean), *Un journaliste provincial,* Centre Etudes Saint-Etienne, 1975.

TILLINAC (Denis), *Spleen en Corrèze,* Editions des Autres, 1979.

VERARD (René), *L'odyssée du Courrier Picard,* Amiens, 1989.

WIRTZ-HABERMAYER (Dominique), *Histoire des Dernières Nouvelles d'Alsace*, la Nuée Bleue, 1987.

Travaux universitaires et recherches

CHARON (Jean-Marie), *Nouveaux médias au quotidien : diversification des quotidiens français*, CEMS, 1984.

CHARON (Jean-Marie), *Les stratégies multimédias des quotidiens européens*, CEMS, 1986.

CHEMINANT (J.-M.), *Un quotidien local : Le Télégramme de l'Ouest et de Brest*, Thèse 3ᵉ cycle, Rennes, 1981.

CONSO (Catherine), *Les grands groupes de presse dans le monde*, Eurostaf, 1988.

CONSO (Catherine), *Les agences de presse en Europe*, Eurostaf, 1989.

LAUNAY (Jean-Marie), *L'Est Républicain de 1944 à nos jours*, Université de Bordeaux, 1978.

MEJAN (Robert), *Le secteur de la presse quotidienne*, Cabinet Pirolli, 1988.

MEJAN (Robert), *La presse quotidienne*, Percepta, 1989.

RABAU-CAUDON (M.), *La presse socialiste de la Gironde*, Thèse 3ᵉ cycle, Bordeaux, 1978.

RAYNAL (J.-J.), *L'importance politique d'un quotidien régional en position de monopole : La Dépêche du Midi*, Thèse science politique, Paris I, 1979.

SJTI, *Chiffres-clés de la presse : 1982 - 1988*, ministère de la Communication, 1989.

Table des matières

Un exemple parmi d'autres : *Sud-Ouest*

Chiffres et tableaux

ACHEVÉ D'IMPRIMER
SUR LES PRESSES DE L'IMPRIMERIE
PUBLI-OFFSET
MERCUÈS 46090 CAHORS

———

DÉPÔT LÉGAL : FÉVRIER 1990
N° 90020003